WARSZAWSKIE GETTO

WARSZAWSKIE

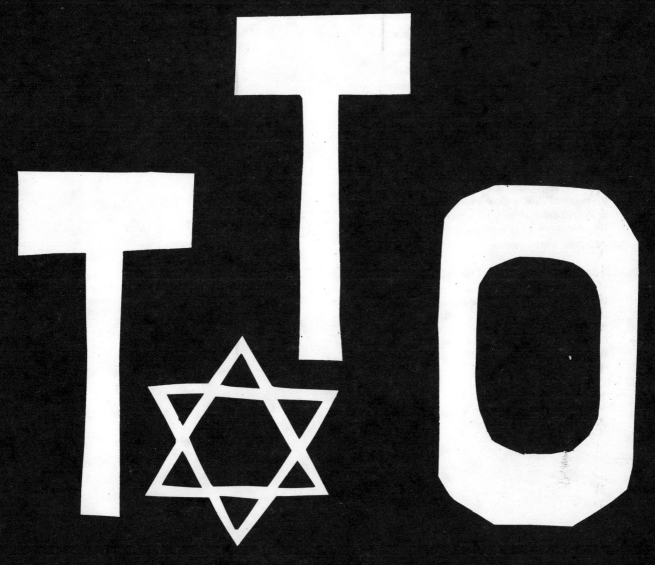

1943–1988

W 45 ROCZNICĘ POWSTANIA

WYDAWNICTWO INTERPRESS

W albumie wykorzystano teksty:
Ruty Sakowskiej, Marka Edelmana,
Jana Karskiego, Franza Blättlera,
Marii Kann oraz materiały referatu
spraw żydowskich Komendy Głównej
Armii Krajowej.

Opracowanie graficzne: Hubert Hilscher
Redaktor techniczny: Wiesław Pyszka
Zdjęcia: archiwa — Głównej Komisji
Badania Zbrodni Hitlerowskich w Polsce,
Żydowskiego Instytutu Historycznego,
Wytwórni Filmów Dokumentalnych
w Warszawie, Joe J. Heydecker
Reprodukcje prac Izaaka Celnikiera:
Jacques Blancherie

Konsultacja naukowa: Tomasz Szarota

Dwa tysiące czterysta sześćdziesiąta
piąta publikacja Wydawnictwa Interpress
Książka ukazuje się również w języku angielskim
Copyright by Polska Agencja Interpress
Warszawa 1988
Printed in Poland

ISBN 83-223-2465-0

Wydawnictwo Interpress Warszawa 1988
Wydanie I. Nakład 50.000 egz. Format 205 × 280 mm.
Objętość 30,0 ark. wyd., 36,0 ark. druk.
Papier kredowany III kl., 61 × 86 m, 90 g. K-29
Zakłady Graficzne Dom Słowa Polskiego
Warszawa — ul. Miedziana 11. Zam. 4078/k/87

,,Ot, co trzeba wyryć, jak w głazie, w polskiej pamięci:
wspólny dom nam zburzono i krew przelana nas brata
łączy nas mur egzekucji, łączy nas Dachau, Oświęcim,
każdy grób bezimienny, i każda więzienna krata''.

Władysław Broniewski ,,Żydom Polskim'' (fragment)

IZAAK CELNIKIER, *Powrót torturowanych*, af. 1980

Warszawskie getto

RUTA SAKOWSKA

Warszawa w latach 1918–1939 była największym skupiskiem żydowskim w Europie i drugim — po Nowym Jorku — w skali światowej. W przededniu II wojny liczyła ok. 380 tys. Żydów, tj. prawie 30% ogółu mieszkańców.

Getto warszawskie, odcięte przez okupanta od reszty miasta w nocy z 15 na 16 listopada 1940, liczyło w okresie największego zagęszczenia (wiosną 1941 r.) ok. 450 tys. mieszkańców, stłoczonych na niewielkiej powierzchni ok. 307 ha.

Liczba Żydów w okupowanej Warszawie wzrastała z powodu przymusowych przesiedleń, przede wszystkim z terenów polskich włączonych do Rzeszy i z tzw. dystryktu warszawskiego; malała natomiast na skutek olbrzymiej, rosnącej śmiertelności w dzielnicy zamkniętej (898 zgonów w styczniu 1941 i 5560 zgonów w styczniu 1942 — wzrost prawie sześciokrotny!). Ogółem od października 1939 do połowy 1942 zmarło w Warszawie, głównie z głodu i chorób epidemicznych, ok. 100 000 Żydów, czyli stracił życie co czwarty mieszkaniec getta.

Zarówno powolna śmierć z głodu, jak i gwałtowna — w komorach gazowych — była rezultatem polityki hitlerowskiej: eksterminacji pośredniej i bezpośredniej. Podstawowymi formami eksterminacji pośredniej były grabież, praca niewolnicza oraz stopniowa eliminacja Żydów z życia społeczno-gospodarczego i ich koncentracja w izolowanych dzielnicach; eksterminacja bezpośrednia — to całkowita zagłada skupisk żydowskich.

Etap pierwszy skończył się definitywnie po 22 miesiącach okupacji hitlerowskiej; pierwsze masowe egzekucje ludności żydowskiej w lecie 1941 r., na nowo zajętych, po napaści na ZSRR, terenach — wyznaczyły początek etapu drugiego. W Warszawie pierwsza akcja likwidacyjna rozpoczęła się 22 lipca i do 21 września 1942 pochłonęła ok. 300 tys. ofiar, zamordowanych w Treblince.

W miarę eskalacji hitlerowskich działań eksterminacyjnych zmieniały się formy samoobrony, przeciwdziałań i oporu ludności żydowskiej. Ewolucja ta ze szczególną wyrazistością wystąpiła w Warszawie. Społeczność zamkniętej dzielnicy w okresie eksterminacji pośredniej wykazała dużą odporność wobec destrukcyjnych działań okupanta walcząc rozpaczliwie o egzystencję. Walka ta rozgrywała się jednak nie w jawnym, lecz w podziemnym nurcie życia społecznego.

W zamkniętych dzielnicach żydowskich przebiegały procesy analogiczne lub podobne do tych, jakie miały miejsce po drugiej stronie muru. Pod powierzchnią rzeczywistości okupacyjnej, owego ,,życia na niby'', że posłużę się tytułem znanej książki Kazimierza Wyki, przebijało po obu stronach muru życie autentyczne, wymykające się kontroli okupanta.

W podziemiu getta rozwijała się działalność gospodarcza, rozsadzając żywiołowo hitlerowski system ograniczeń i izolacji. Zakazy hitlerowskie naruszano po obu stronach muru, gdyż inaczej nie dało się żyć. To było nieposłuszeństwo powszechne.

Opór cywilny, a więc działania świadome, inspirowane lub sterowane przez konspirację w getcie warszawskim skupiały się przede wszystkim na walce z głodem. Przy olbrzymiej różnorodności form i metod walka ta sprowadza się w istocie do dwóch nierozdzielnych elementów: pierwszym była pomoc materialna, drugim zaś — obrona przed deformacją psychiczną, dramatyczna walka o wartości, zarówno w sferze stosunków między ludźmi, jak i w sferze potrzeb duchowych, swoistej rewindykacji osobowości ludzi spychanych przez okupanta na dno nędzy i upokorzenia.

DZIAŁALNOŚĆ OPIEKUŃCZA

W obliczu powszechnego zagrożenia najważniejszym zadaniem konspiracji getta była integracja społeczeństwa wokół podstawowego celu, jakim było ocalenie głodujących. Pod firmą Żydowskiej Samopomocy Społecznej, która była drugą, obok judenratów, jawną instytucją w gettach Generalnego Gubernatorstwa, powstała rozgałęziona sieć instytucji opiekuńczych: obok przedwojennych organizacji społecznych (np. Centos — Towarzystwo Opieki nad Sierotami i Dziećmi Opuszczonymi, TOZ — Towarzystwo Ochrony Zdrowia i in.) powołano już w latach wojny i okupacji ogniwa nowe, funkcjonujące na zasadzie więzi sąsiedzkiej. Były to komitety domowe warszawskie i ziomkostwa przesiedleńców.

W sąsiedzkich mikrospołecznościach getta zachodziły istotne przeobrażenia więzi społecznej. Życie zmuszało do przezwyciężenia wielkomiejskiego wyobcowania, obojętności i sformalizowanego charakteru kontaktów międzyludzkich; zakiełkowały z wielką siłą zarodki solidarności i wzajemnej pomocy, kształtowała się czynna postawa wobec cierpienia. Nawet spauperyzowane rodziny dzieliły się z głodującymi (kromka chleba czy marchew były liczącym się darem), lekarze bezpłatnie leczyli dzieci swoich sąsiadów, szewcy bezpłatnie zelowali im buty itd.

Wokół tysiąca komitetów domowych w getcie powstały liczne komisje oraz tzw. koła pań, koła młodzieży, kąciki dla dzieci itp. Domy w getcie liczyły nieraz po kilkaset do tysiąca mieszkańców. Były to zwarte kompleksy budynków otaczających jedno, a czasem dwa—trzy typowe dla Warszawy przedwojenne podwórza-studnie, odrębne sektory mieszkalne za zamkniętą, na długo przed godziną policyjną, bramą, które stały się stopniowo nie tylko samowystarczalnymi ośrodkami pomocy sąsiedzkiej, działalności oświatowej, życia towarzyskiego, kulturalnego, religijnego, lecz także ogniwami samorządu lokatorskiego, uznanego nawet przez okupanta.

Ogniwa pomocy społecznej stanowiły osłonę dla organizacji konspiracyjnych getta.

KULTURA PODZIEMNA

Kultura podziemna stała się, obok pomocy materialnej, drugim podstawowym elementem oporu cywilnego getta.

Rozpaczliwa, nierówna walka o egzystencję bynajmniej nie przesłoniła potrzeb duchowych mieszkańców getta, życie potwierdziło bowiem doniosłość potrzeb duchowych w walce o przetrwanie indywidualne i zbiorowe.

Od pierwszych dni okupacji kształtowały się wśród ludności żydowskiej, podobnie jak w całym kraju, nowe, wymykające się kontroli okupanta formy kultury podziemnej, oparte wprawdzie na prymitywnych środkach przekazu, lecz mimo to dominujące w życiu społecznym: tajne nauczanie w szkolnictwie podstawowym, średnim i wyższym; tajne imprezy muzyczne, tajna działalność religijna, konspiracyjne edycje literackie i publicystyka (w latach 1940–1942 ukazało się przeszło 40 tytułów prasy konspiracyjnej, głównie w językach żydowskim i polskim), tajne badania naukowe w zakresie historii, socjologii, etnografii, medycyny (choroba głodowa); tajne biblioteki dostarczały książki do mieszkań czytelników. Rynek księgarski przeniósł się z zamkniętych księgarń na ulicę.

Pisał Leopold Staff (1927):

Bardziej niźli chleba

Poezji trzeba w czasach

Gdy wcale jej nie trzeba...

Słowa znakomitego poety, przytoczone w tekście zaproszeń na wieczór literacki w getcie w lutym 1942, można uznać za motyw przewodni życia kulturalnego w całej okupowanej Polsce.

Kultura podziemna kształtowała się jako kultura walcząca. Mecenasem i inspiratorem podziemnego życia kulturalnego, jak i innych form oporu cywilnego była konspiracja. Konspiracja udostępniała ludziom kultury swoje kanały informacji i środki przekazu, korzystała ze współpracy historyków, literatów, publicystów, psychologów, pedagogów, aktorów i muzyków, którzy publikowali swe utwory w prasie podziemnej, redagowali raporty konspiracyjne, pisali odezwy i pieśni, pracowali w tajnej oświacie itd. Konspiracja patronowała też tajnemu nurtowi życia religijnego. Młodzi konspiratorzy, przyszli bojowcy Żydowskiej Organizacji Bojowej, pracowali w kołach młodzieży przy komitetach domowych i w tajnej oświacie, nierzadko występując w podwójnej roli: ucznia tajnych kompletów gimnazjalnych i nauczyciela młodszych dzieci. Największą, jeśli nie decydującą, rolę odegrali jednak młodzi w redagowaniu, drukowaniu i kolportażu prasy konspiracyjnej.

W życiu kulturalnym, jak i w innych dziedzinach życia społecznego więź między gettem a „stroną aryjską" nie została zerwana. Lekarz-Polak, prof. Franciszek Raszeja przypłacił te kontakty życiem, został rozstrzelany przez hitlerowców w czasie wizyty u chorego w getcie. Polka Irena Sedlerowa, działaczka Rady Pomocy Żydom, przychodziła do getta w sprawach pomocy społecznej, bywała na tajnych imprezach literacko-muzycznych urządzanych przez koła młodzieży, gdzie grano utwory Chopina, recytowano wiersze Broniewskiego.

Do getta przemycano polską prasę konspiracyjną i tajne utwory literackie, które krążyły w odpisach wśród młodzieży. Istniały też więzy nie zrealizowane — tęsknota warszawiaków z dzielnicy zamkniętej do swego miasta, ów „szmugiel sentymentalny", o którym pisał Władysław Szlengel.

KONSPIRACYJNE ARCHIWUM GETTA (ARG)

Tu właśnie napływały relacje o losach Żydów z całego niemal okupowanego kraju, tu analizowano zawarte w nich informacje, stąd wysyłano w świat raporty o ludobójstwie hitlerowskim.

Założycielem i inspiratorem ARG był Emanuel Ringelblum (1900–1944), historyk, działacz społeczny, publicysta i pedagog.

Zalążkiem Archiwum były *Noty* — kronika prowadzona przez Ringelbluma od września 1939. Jesienią 1940 powstał z jego inicjatywy konspiracyjny ośrodek archiwalno-dokumentacyjny pod kryptonimem Oneg Szabat (hebr., dosłownie — radość, przyjemność sobotnia, lecz w tym przypadku raczej — spotkania sobotnie). Biuletyny tego zespołu, przeznaczone dla polskiej prasy konspiracyjnej, sygnowano skrótem ARG (Archiwum Getta).

Oneg Szabat składał się z kilkunastu stałych współpracowników. Pierwszym sekretarzem tego zespołu był młody ekonomista Hersz Wasser, który kierował w ARG działem relacji z gett poza Warszawą, prowadził ewidencję materiałów i autorów; w sensie organizacyjnym i technicznym konspiracyjne Archiwum było jego dziełem; pomagała mu czynnie jego żona Bluma; drugim zaś sekretarzem został Eliahu Gutkowski, pedagog, literat, działacz polityczny i popularyzator nauki. Wśród osób, które współpracowały z ARG, bądź przekazywały tam swoje teksty, byli pisarze (m.in. Icchak Kacenelson i Janusz Korczak), rabini (m.in. jeden z najbliższych współpracowników Ringelbluma, historyk — samouk Szymon Huberband), naukowcy (m.in. ekonomista Menachem Linder). Większość współpracowników i respondentów ARG należała do organizacji konspiracyjnych (m.in. Mordechaj Anielewicz).

Ludzie z ARG zamierzali w przyszłości odtworzyć dzieje Żydów w okupowanej Polsce, a więc dzieje im współczesne. Charakter badań narzucał zastosowanie metod socjologicznych. Materiały ARG były tworzone i gromadzone na podstawie wielokrotnie dyskutowanego kwestionariusza badawczego. Zachowały się zarówno projekty prac syntetycznych, jak i tezy do tematów szczegółowych oraz pytania orientacyjne dla członków tego zespołu, adresowane do różnych grup pokoleniowych i zawodowych, np. do dzieci, młodzieży, księgarzy, bibliotekarzy, fryzjerów, inteligencji twórczej, członków Rady Żydowskiej itd.

Materiały ARG tworzą cykle tematyczno-chronologiczne. Tematy dyktowała rzeczywistość okupacyjna.

W konspiracyjnym Archiwum zgromadzono różnorodne materiały: zarówno dokumenty urzędowe (obwieszczenia, odpisy oficjalnej korespondencji itd.), jak i dokumenty osobiste (dzienniki, listy itd.), a nawet druki reklamowe, recepty lekarskie i opakowania cukierków produkowanych w getcie. Bogato przedstawione są oświata (m.in. świadectwa szkolne, wypracowania dzieci) i życie kulturalne (plakaty, zaproszenia na imprezy literackie, koncerty itd.). Zgromadzono też znaczną liczbę materiałów organizacji konspiracyjnych, które później utworzyły Żydowską Organizację Bojową. Są więc notatki z nasłuchu radiowego rozgłośni alianckich, publikowane następnie w gazetkach konspiracyjnych, dokumenty programowe, odezwy oraz materiały ogólnokrajowych konspiracyjnych seminariów organizacji młodzieżowych, jakie odbywały się w getcie warszawskim.

Pierwszorzędne znaczenie ma najbogatszy z zachowanych, liczący przeszło 40 tytułów, zbiór prasy konspiracyjnej getta, różnych kierunków.

DWIE GENERACJE. NIEFORMALNY SAMORZĄD

W walce z głodem brały udział dziesiątki tysięcy osób. Byli to zarówno przedwojenni działacze społeczni, jak i tzw. nowi (w tym znaczna liczba kobiet), zarówno ludzie wierzący, jak i niewierzący, starsi i młodsi, wśród których byli najmłodsi — przyszli członkowie Żydowskiej Organizacji Bojowej, która stanie się główną siłą w powstaniu getta warszawskiego.

Większość spośród członków ŻOB liczyła w dniach powstania (1943) po 20–24 lata, zaś w początkowym okresie okupacji byli oni prawie o cztery lata młodsi. Dlatego też klimat życia społecznego w okresie eksterminacji pośredniej tworzyła generacja starsza — czterdziesto- i pięćdziesięciolatków. Organizatorami oporu cywilnego byli dorośli, działacze stronnictw politycznych, głównie zespół przywódców stronnictw politycznych, reprezentujący różne nurty: od ortodoksyjno-religijnej Agudas Israel poprzez stronnictwa syjonistyczne i syjonistyczno-socjalistyczne — do socjalistycznego Bundu oraz (od stycznia 1942) — nowo utworzonej Polskiej Partii Robotniczej posiadającej w getcie swą komórkę.

Zjawiska przejmowania istotnych funkcji społeczno-organizacyjnych przez ogniwa nieformalne, które zaobserwowano w całym okupowanym kraju, wystąpiły też w zamkniętych dzielnicach żydowskich. W walce o życie głodujących ukształtował się w ogniwach pomocy społecznej, które oficjalnie ograniczały się do działalności opiekuńczej, nie formalny, lecz autentyczny, samorząd getta. Jego wierzchołkiem był konspiracyjny zespół przywódców stronnictw, podstawą zaś — przeszło tysiąc komitetów domowych.

EWOLUCJA FORM OPORU

Ewolucja form oporu odbywała się w atmosferze konfliktu generacji. Myśl o oporze zbrojnym zrodziła się wśród konspiracyjnej młodzieży szybko dojrzewającej w warunkach wojny. Analiza tekstów z gazetek konspiracyjnych getta wskazuje, że myśl ta nie była obca przyszłym członkom ŻOB od pierwszych lat okupacji. Była to początkowo koncepcja, a raczej wizja (w przeświadczeniu, że konflikt Niemiec hitlerowskich z ZSRR jest nieunikniony) zbrojnego wystąpienia młodzieży żydowskiej, lecz dopiero w momencie zbliżania się frontu, u boku zwycięskich aliantów, u boku Armii Czerwonej, w jednym szeregu z Polakami i innymi walczącymi o wolność narodami.

Wizje statusu Żydów w powojennym, wolnym od hitleryzmu świecie, jakie wyłaniają się z tekstów gazetek konspiracyjnych getta, były w zależności od orientacji politycznej zróżnicowane, lecz u ich podłoża tkwiły w pełni uzasadnione, z punktu widzenia ówczesnych doświadczeń, nadzieje na przetrwanie wojny, na obecność Żydów w lepszym powojennym świecie, w wyzwolonej, demokratycznej Polsce. Zarówno jednak wizja obecności w wyzwolonym przez zwycięskich aliantów Berlinie, „wśród tłumów niosących portrety Marksa i Lenina”, jak i szczęśliwej wiosny po rozbiciu muru getta, zarówno wizja przyszłości w Palestynie, jak i w wolnej, demokratycznej Polsce, a także wizja udziału w powojennej konferencji pokojowej, okazała się dla ludzi z gett marzeniem.

WIEŚCI O ZAGŁADZIE

Okupant przystąpił do zagłady skupisk żydowskich w drugiej połowie 1941 r., na nowo zajętych, po napaści na Związek Radziecki, terenach. W grudniu 1941 uruchomiono pierwszy na ziemiach polskich ośrodek zagłady w Chełmnie nad Nerem, na terenie tzw. Warthelandu. Wiosną i latem 1942 uruchomiono 3 ośrodki zagłady w GG: w Bełżcu, Sobiborze, Treblince. Ośrodkiem masowej zagłady stał się Oświęcim.

Ludzie z konspiracji getta warszawskiego czujnie rejestrowali sygnały o zagładzie innych gett. Gromadzenie, weryfikacja i analiza informacji należały do zadań zespołu ARG. Doniosłe znaczenie miały relacje świadków, uciekinierów z miejscowości objętych akcją likwidacyjną, którzy po przybyciu do Warszawy zgłaszali się do delegatów swoich ziomkostw.

Szczególną wartość miały sprawozdania łączniczek konspiracji, które pod fałszywymi nazwiskami przemierzały cały niemal okupowany kraj. Były to zwykłe dziewczyny jasnowłose, o tzw. aryjskim wyglądzie, eleganckie, znające języki i nie uchylające się od towarzyskiej konwersacji. Przechodziły śmiało przez „szperę” policyjną na dworcach kolejowych, nierzadko w towarzystwie szarmanckich niemieckich towarzyszy podróży, pomagających przenieść ciężkie walizki z literaturą. Taką właśnie dziewczyną była jedna z respondentek ARG, przed wojną studentka romanistyki Uniwersytetu Warszawskiego, „Lonka” Koziebrodzka. W niebezpiecznych misjach łączniczek sprawą najważniejszą była jednak odwaga i przytomność umysłu. Ciemnowłosa, o semickim wyglądzie Frumka, jak ją zdrobniale nazywano, jedna z legendarnych sióstr Płotnickich, docierała wszędzie tam, gdzie innym się to nie udawało.

Istotnym źródłem informacji stały się nadchodzące do getta warszawskiego karty pocztowe (jedyne dozwolone przez okupanta przesyłki w korespondencji mieszkańców getta). Wprawdzie z początkiem akcji likwidacyjnych Sichercheitspolizei wprowadziła w wielu miejscowościach tzw. Postsperre (zakaz ruchu pocztowego), niemniej jednak do getta warszawskiego stosunkowo szybko, na czwarty — piąty dzień docierały karty pocztowe z miejscowości zagrożonych akcją likwidacyjną. Do tych listów ludzie z ARG przywiązywali dużą wagę, gromadzono je, sporządzano odpisy, niektóre publikowano w prasie konspiracyjnej.

Na podstawie gazetek konspiracyjnych, relacji i listów z datą stempla pocztowego można odtworzyć obieg informacji o zagładzie.

Pierwsze wiadomości o hitlerowskich masakrach ludności żydowskiej na nowo zagarniętych terenach, ukazały się w prasie konspiracyjnej na przełomie września i października 1941.

W niedługim czasie zaczęły do getta warszawskiego nadchodzić zatrważające wieści z przeciwległego, zachodniego krańca okupowanej Polski. Krążyły niesamowite pogłoski o transportach żydowskich znikających bez śladu w zajętym przez esesmanów pałacu w Chełmnie nad Nerem. Judenraty z okolicznych miasteczek wysyłały na zwiady posłańców, szeptali o tym po cichu okoliczni chłopi; jeden z nich, Stanisław Kaszyński z Chełmna, został w lutym 1942 rozstrzelany za rozpowszechnianie wiadomości o ośrodku zagłady. 19 stycznia 1942 dotarli do pobliskiego Grabowa trzej uciekinierzy z chełmińskiego obozu śmierci, naoczni świadkowie masowego uśmiercania Żydów i Cyganów w autach — komorach gazowych. Opowieści zbiegów spowodowały falę listów do rodzin w getcie warszawskim. Sygnałem zbliżającej się akcji likwidacyjnej był w wielu miejscowościach podatek pogłówny w wysokości 4–8 marek. Tam gdzie wprowadzano ten ,,demoniczny'', jak go określano w ARG, podatek, ludzie pisali pożegnalne listy.

Z nadchodzących od początku stycznia 1942 kart pocztowych z Grabowa, Kutna, Krośniewic, Gostynina, Gąbina pochodzą pierwsze wiadomości o ośrodku zagłady w Chełmnie nad Nerem.

W niedługim czasie dotarł do getta warszawskiego jeden z uciekinierów z Chełmna, ,,Szlamek''; jego relacja obiegła prasę konspiracyjną getta.

W miarę eskalacji hitlerowskich działań eksterminacyjnych krwawa fala coraz bliżej podchodziła do Warszawy.

Trzecim sygnałem była wiadomość o wymordowaniu w połowie marca 1942 ludności żydowskiej w Lublinie, tym razem już na terenie Generalnego Gubernatorstwa, w odległości zaledwie około 150 km od Warszawy. Prawie jednocześnie nadchodzą wieści o akcjach likwidacyjnych we Lwowie w marcu i kwietniu 1942.

ALARM O ZBRODNIACH HITLEROWSKICH

Wiosną 1942 r., pod wpływem wiadomości o nowych groźnych formach eksterminacji Żydów, zespół ARG podejmuje, obok długofalowych prac naukowo-badawczych, jeszcze drugie ważne zadanie: alarmowanie opinii publicznej o ludobójstwie hitlerowskim.

Powołano specjalną służbę informacyjną, zaalarmowano czynniki Polski Podziemnej.

Wieści o zagładzie publikowała prasa konspiracyjna getta. Jednocześnie informacje o ludobójstwie hitlerowskim zbierał wywiad Armii Krajowej. Za pośrednictwem Referatu Żydowskiego przy Komendzie Głównej AK, kierowanego przez Henryka Wolińskiego, raporty ARG wysłano za granicę: o Chełmnie — w marcu 1942, o akcjach likwidacyjnych na Lubelszczyźnie — w kwietniu 1942, o masakrach w innych gettach — w lipcu 1942.

Działalność ARG nie pozostała bez echa. W końcu kwietnia 1942 ukazał się w konspiracyjnym ,,Biuletynie Informacyjnym'' (pismo KG AK) artykuł pt. *Żydzi*, alarmujący o wymieraniu mieszkańców getta warszawskiego, masowych egzekucjach na ziemiach wschodnich, ośrodku zagłady w Chełmnie nad Nerem i tzw. wysiedleniach z Lublina i miasteczek Lubelszczyzny. Autor artykułu powołuje się m.in. na uciekinierów z Chełmna: ,,Relacje naocznych świadków mordów w Chełmnie, za pomocą gazu trującego, dowodzą, że Niemcy przeszli samych siebie''.

Hitlerowska akcja zagłady Żydów wywołała falę protestów polskiej prasy konspiracyjnej. Odezwały się też (za późno, jak twierdzi Ringelblum) publikatory zagraniczne. 26 czerwca 1942 radio Londyn, które od paru tygodni przekazywało wiadomości o eksterminacji Żydów, nadało wielką audycję, opartą m.in. na raportach ARG, o hitlerowskiej zagładzie Żydów w Polsce. W związku z tą audycją Emanuel Ringelblum zanotował: „Alarmując świat o naszym losie grupa Oneg Szabat spełniła wielką historyczną misję. Ocali to może setki tysięcy Żydów polskich. To się okaże w najbliższej przyszłości. Nie wiem, kto spośród naszej grupy pozostanie przy życiu, komu los pozwoli na opracowanie zebranych materiałów, lecz jednego jesteśmy pewni — że nasze ofiary, ryzyko i napięcie ustawicznego zagrożenia, nasz trud i cierpienie nie były daremne"

KONCEPCJA ZBROJNEJ WALKI

Pod wpływem wieści o zagładzie szybko dojrzewała koncepcja zbrojnej walki. Wiosną 1942 r. nadeszła do getta warszawskiego wiadomość o zbrojnej samoobronie Żydów w Nowogródku na Wileńszczyźnie. Wiadomość ta poruszyła młodzież konspiracyjną. W gazetkach konspiracyjnych czytamy, że Nowogródek stał się „symbolem walki o poszanowanie ludzkiego życia, która odrzuca myśl o rezygnacji i rozpaczy. Niech Nowogródek będzie wzorem godnej ludzkiej postawy".
Powojennym badaczom nie udało się ustalić, czy samoobrona w Nowogródku rzeczywiście miała miejsce, czy był to fakt historyczny, czy też bohaterska legenda. Zdaniem znakomitego badacza, Izraela Gutmana z Yad Vashem, żadne z oficjalnych źródeł nie zawiera wiadomości o tej rewolcie. Nie wiadomo też, w jaki sposób wiadomość ta dotarła do Warszawy. Niemniej jednak wieści z Nowogródka zafascynowały młodzież konspiracyjną getta.
W tym miejscu — dygresja: po wojnie utrwalił się stereotyp „walki o honor", czy też sformułowany niekiedy w formie nieco strawniejszej — o ludzką godność, jako główny czy zgoła jedyny czynnik motywacyjny bojowców getta. W podtekście tkwi, być może nie do końca uświadomione, przeciwstawienie „dwóch śmierci": śmierci „pięknej", „godnej", w boju, i tej drugiej — w egzekucji, w oparach gazu. Czyżby niewinne ofiary, jak pisał Antoni Słonimski, nie tylko traciły życie, ale również cześć i honor?
Warto więc zastanowić się nad znaczeniem słów o „godnej postawie" i „godnej śmierci" w prasie konspiracyjnej getta. Słowa te nie świadczą bynajmniej o wyborze „piękniejszego" sposobu umierania, nie zawierają też potępienia setek tysięcy bezbronnych, „prowadzonych na rzeź" i ginących bez walki. Odwrotnie. Cytowane fragmenty tekstów wskazują, że hasło „zginąć z honorem" w odczuciu przyszłych powstańców getta oznaczało: uczynić z ofiary swego życia skuteczną broń w nierównej walce z hitlerowcami; swoją śmiercią poruszyć świat i w ten sposób potwierdzić wartość ludzkiego życia tak lekko, w przypadku ludności żydowskiej, i — co szczególnie bolało — bezkarnie i bez strat własnych niszczonego przez hitlerowskich ludobójców.
Walka zbrojna stała się niemal obsesją młodzieży konspiracyjnej, zwłaszcza chalucowej. „Przed nami" — napisze po latach w swoich wspomnieniach jedna z czołowych bojowniczek getta, współzałożycielka Żydowskiej Organizacji Bojowej, Cywia Lubetkin — „olbrzymia potęga zwycięskiej armii. Kapitulują przed nią jedno po drugim wielkie państwa". Cóż mogli przeciwstawić potędze III Rzeszy ci chłopcy i dziewczęta z zamkniętych dzielnic żydowskich, ta garstka, zdawałoby się, marzycieli?
Dorośli, przywódcy stronnictw, traktowali początkowo młodych z rezerwą, ostrzegając przed przedwczesnym wystąpieniem i wskazując na zbiorową odpowiedzialność ludności getta. W tej sytuacji jedyną realną szansą walki z okupantem była partyzantka leśna. Była to koncepcja nowo utworzonej w styczniu 1942 Polskiej Partii Robotniczej, która niezwłocznie nawiązała kontakty z gettem.
Na przełomie marca i kwietnia 1942 konspiracja getta podjęła pierwszą próbę konsolidacji sił i utworzenia zbrojnej organizacji. Z inicjatywy PPR zawiązano w getcie porozumienie stronnictw politycznych i organizacji młodzieżowych, tzw. Blok Antyfaszystowski, z udziałem przedstawicieli PPR oraz syjonistyczno-socjalistycznych stronnictw i organizacji młodzieżowych. Do porozumienia wówczas jeszcze nie przystąpił socjalistyczny Bund. Blok Antyfaszystowski, który utworzył paramilitarną Organizację Bojową (BO), reprezentował koncepcję włączenia Żydów do ogólnej walki partyzanckiej poza gettem. Zbliżała się jednak nieuchronnie akcja likwidacyjna, która przekreśliła te plany.

PIERWSZA AKCJA LIKWIDACYJNA

W dniach od 22 lipca do 21 września 1942 hitlerowcy zamordowali w Treblince około 300 tys. ludzi z warszawskiego getta. W tych dniach konspiracji nie udało się zorganizować zbrojnej samoobrony. Bezbronna masa cywilów, z przewagą kobiet, dzieci i ludzi starszych, nie mogła przeciwstawić się hitlerowskiej machinie śmierci. Demonstracja zbrojna w tym czasie nie rokowała szans ani w sensie militarnym, ani — psychologicznym. Należałoby jednak odnotować akty oporu cywilnego o nieprzemijającym znaczeniu, wykraczającym poza chronologiczne ramy wojny i hitlerowskiej okupacji: 23 lipca 1942 prezes Warszawskiego Juderatu, Adam Czerniaków, odebrał sobie życie. Był to dla niego sposób — jedyny z możliwych — uchylenia się od współudziału w deportacji Żydów do Treblinki; 5 lub 6 sierpnia 1942 zrezygnował z szansy ratunku i poszedł na śmierć wraz z pracownikami i wychowankami Domu Sierot — Janusz Korczak.

EPILOG

W tzw. getcie szczątkowym (Restgetto) pozostało zaledwie ok. 60 tys. osób. Ostatnie miesiące w dziejach skupiska żydowskiego w Warszawie upłynęły pod znakiem gorączkowych przygotowań do walki. Dla nikogo nie ulegało już wątpliwości, że getto jest skazane i obciążenia psychiczne związane z odpowiedzialnością zbiorową odpadły; mieszkańcy getta wyzbyli się złudzeń ocalenia przez pracę. Osieroceni, zrozpaczeni po stracie najbliższych, stanęli po stronie przyszłych bojowców.

Koncepcję walki zbrojnej poparli w tym czasie także przywódcy stronnictw politycznych. Nawiązano kontakty z Komendą Główną Armii Krajowej i w tajemnicy przed AK — z PPR. Nastąpiło zjednoczenie głównych sił konspiracji getta. Do zawiązanego jesienią 1942 porozumienia pn. Żydowski Komitet Narodowy (ŻKN), składającego się z PPR (w getcie) oraz liberalno-socjalistyczno-syjonistycznych stronnictw i organizacji młodzieżowych, przystąpił Bund. W nocy z 1 na 2 grudnia tego roku uchwalono statuty Komisji Koordynacyjnej ŻKN i Buntu i ŻOB — Żydowskiej Organizacji Bojowej. Ze swej strony koncepcję zbrojnej walki reprezentował Żydowski Związek Wojskowy, składający się głównie z prawicowych syjonistów, tzw. rewizjonistów. Wśród członków tego związku była też grupa oficerów rezerwy Wojska Polskiego.

Przyjrzyjmy się ludziom z Żydowskiej Organizacji Bojowej, która była główną siłą powstania w getcie warszawskim i zbrojnych wystąpień w innych gettach. Biografie 235 poległych członków ŻOB w getcie warszawskim i delegowanych z Warszawy do innych gett, opracowane zostały przez autora izraelskiego Mejlecha Neustadta na podstawie informacji ocalałych bojowców (wojnę i okupację przeżyło zaledwie kilkunastu uczestników powstania w getcie). Informacje te zostały następnie zweryfikowane przez innych badaczy. Według izraelskiego badacza prof. Israela Gutmana ŻOB liczyła ogółem ok. 500 członów, zaś ŻZW — 250. Tak więc rozporządzamy biografiami ok. 50% ogółu członków ŻOB.

ŻOB w Warszawie składała się z 22 grup bojowych, w tym 14 grup „chalucowych" (pionierskich, przygotowujących się do przyszłej kolonizacji Palestyny) i stronnictw pokrewnych Poalej-Syjon--Lewicy i Poalej-Syjon tzw. Prawicy; PPR i Bund miały po 4 grupy bojowe.

Komendantem ŻOB był dwudziestoczteroletni Mordechaj Anielewicz z chalucowej organizacji Haszomer Hacair (hebr. Młoda Straż), jego zastępcą po „aryjskiej stronie" — Icchak Cukierman, „Antek" z chalucowej Dror (hebr. — Wolność), który zastąpił aresztowanego łącznika z Armią Krajową „Jurka" — Arie Wilnera; członkami komendy — Marek Edelman z Bundu, Jochanan Morgensztern z Poalej-Syjon-Prawicy, Herszt Berliński z Poalej-Syjon-Lewicy oraz Michał Rojzenfeld z Polskiej Partii Robotniczej.

Spośród 235 badanych osób znamy wiek 182; większość (135 osób) urodziła się w latach 1916–1923; urodzonych w latach 1920–1923 było 86 osób. Najliczniej reprezentowany był rocznik 1923 (27 osób).

Byli to więc w większości ludzie bardzo młodzi, którzy w dniach powstania liczyli po dwadzieścia, dwadzieścia parę lat.

Najstarszy członek ŻOB Abram Diamant (Poalej-Syjon-Lewica) urodził się w 1900 (zginął w powstaniu, w walkach na terenie getta w maju 1943); najmłodszy — Eliezer „Lusiek" Błones z Bundu urodził się w 1930 (zginął po wyjściu kanałami z getta, po „aryjskiej stronie").

Wśród 22 dowódców grup bojowych 15 urodziło się w latach 1916–1923. Najstarszy był Hersz Berliński z Poalej-Syjon-Lewicy, urodzony w 1908 (zginął w powstaniu warszawskim w 1944); najmłodszy zaś — Dawid Hochberg z Bundu, urodzony w 1925 (zginął w pierwszych dniach powstania w getcie).

Komendant ŻOB Mordechaj Anielewicz urodził się w 1919 (zginął śmiercią samobójczą wraz z całym dowództwem organizacji 8 maja 1943, w oblężonym przez hitlerowców i wypełnionym trującym gazem bunkrze przy ul. Miłej 18).

Ci, co przeżyli: Icchak Cukierman (Dror) urodził się w 1915, zmarł w Izraelu w 1981; jego żona Cywia Lubetkin (Dror), urodzona w 1918, zmarła w 1978; Marek Edelman z Bundu pracuje w Łodzi, urodził się w 1924.

Spośród 235 badanych znamy pochodzenie społeczne 118. Większość pochodziła z rodzin pracujących: robotników, rzemieślników, drobnych sklepikarzy. Młodzież ta od dzieciństwa zetknęła się z niedostatkiem. Niemniej jednak wśród badanych był znaczny odsetek (co najmniej 46 osób) pochodzących z zamożnych mieszczańskich rodzin. Byli wśród nich synowie i córki fabrykantów, bogatych kupców itd. Słynny łącznik ŻOB z Armią Krajową „Jurek" — Arie Wilner (Haszomer Hacair) był synem właściciela garbarni w Warszawie (urodz. w 1917, był inicjatorem zbiorowego samobójstwa w bunkrze komendy ŻOB przy Miłej 18).

Josef Joszua Winogron (Haszomer Hacair), dowódca grupy bojowej (urodz. w 1923, zginął w powstaniu, w walkach na terenie getta), był synem fabrykanta wind; Margolit Landau (Haszomer Hacair), uczestniczka zamachu na komendanta policji żydowskiej Jakuba Lejkina — córką fabrykanta mebli (urodz. w 1926, zginęła w pierwszej samoobronie getta w styczniu 1943), jej ojciec — Aleksander Landau, który po przejęciu fabryki przez niemiecką firmę Ostdeutsche Bautischlerei--Werkstätte zachował stanowisko jednego z jej dyrektorów, był wybitnym działaczem konspiracji, który na terenie fabrycznym udzielił schronienia członkom ŻOB, zginął w 1944 w Oświęcimiu.

Legendarne łączniczki siostry Chana i Fruma Płotnickie („Chancia" i „Frumka" z Droru), były córkami zamożnego kupca w Płotnicy koło Pińska.

Niemniej jednak część dzieci z zamożnych rodzin, np. Arie Wilner, opuściła swoje rodziny i żyła z własnej pracy już przed wojną. Członkowie organizacji chalucowych odbywali tzw. hachszarę (przygotowanie zawodowe do pracy fizycznej) w komunach młodzieżowych, tzw. kibucach; istniały one i w getcie warszawskim.

W latach okupacji większość pracowała zarobkowo, najczęściej fizycznie. Znaczna część — w młodzieżowych fermach rolniczych poza gettem, na Grochowie i Czerniakowie. Członkowie ŻOB nie uniknęli też obozów pracy przymusowej.

Większość spośród badanych członków ŻOB miała wykształcenie podstawowe, niemniej jednak znaczny był udział młodzieży z wykształceniem ponadpodstawowym. W końcu 1939, tzn. z chwilą gdy władze okupacyjne zamknęły szkoły średnie i wyższe w całym okupowanym kraju, było wśród nich co najmniej 52 (22%) uczniów i absolwentów szkół średnich oraz studentów i absolwentów szkół wyższych. Najliczniejszą grupę stanowili absolwenci i uczniowie licealnych klas szkół średnich (co najmniej 38 osób); uczęszczali na ogół do renomowanych żydowskich szkół prywatnych warszawskich z polskim językiem nauczania, np. Gimnazjum i Liceum męskie Laor (hebr. ku światłu — ukończył je komendant ŻOB Mordechaj Anielewicz); Gimnazjum i Liceum Męskie Askola (hebr. Oświecenie), Gimnazjum i Liceum Żeńskie Jehudyja.

Wśród członków ŻOB byli też uczniowie i absolwenci szkół pozawarszawskich, np. gimnazjum hebrajskie we Włocławku ukończyła Tosia Altman, czołowa działaczka Haszomer Hacair, urodz. w 1918, łączniczka ŻOB, jedna z 14 pozostałych przy życiu w bunkrze komendy ŻOB przy Miłej 18; wyprowadzona kanałami na „stronę aryjską" 10 maja 1943, ciężko poparzona w pożarze w kryjówce ŻOB przy ul. 11 Listopada, aresztowana i zamęczona przez gestapo w końcu maja 1943.

W grupie badanych było co najmniej kilku studentów, m.in. Lea „Lonka" Koziebrodzka, studentka filologii romańskiej Uniwersytetu Warszawskiego, urodzona w 1917, aresztowana w 1942, zmarła w Oświęcimiu jako Polka Krystyna Kosowska, w marcu 1943.

Studentem Uniwersytetu Warszawskiego (orientalistyki) był Mordechaj Tenenbaum — „Tamaroff" (z Droru), delegowany przez ŻOB do Białegostoku, jeden z komendantów powstania w tym getcie (urodz. w 1916, zginął po załamaniu się powstania w sierpniu 1943).

Studentem bądź absolwentem UW był psycholog Michał Rojzenfeld (PPR), członek komendy głównej ŻOB (urodz. w 1916, zginął w walkach partyzanckich w lasach wyszkowskich w lecie 1943).

Tylko nieliczni starsi członkowie ŻOB zdążyli przed wojną ukończyć wyższe studia. Absolwentem politechniki w Gandawie był inż. Abram Blum — ,,Abrasza'', jeden z czołowych działaczy Bundu, urodzony w 1904 r., organizator batalionów robotniczych w oblężonej Warszawie we wrześniu 1939 r. Walczył w grupie bojowej Bundu; po wyjściu kanałami z getta zginął po ,,stronie aryjskiej'' z powodu denuncjacji. Absolwentem Politechniki Warszawskiej był Edward Fondamiński z PPR (urodz. w 1916, zginął wraz z żoną Lubą w bunkrze Komendy ŻOB przy Miłej 18).

Wśród badanych członków ŻOB było 71 kobiet (ok. 30%). Wizerunek dwóch dziewczyn, które walczyły z bronią w ręku u boku mężczyzn, uwiecznił w swoim raporcie kat powstania w getcie, generał Jürgen Stroop.

W wielu przypadkach w ŻOB walczyły całe rodziny, głównie rodzeństwa i młode małżeństwa, np. siostry Chana i Fruma Płotnickie. W walce z okupantem zginął też ich brat Hersz. Siostry Basia i Sara Sylman (urodz. w 1925 i 1926), przybyły z grupą Droru z Ostrowca Kieleckiego w końcu 1942, po akcji likwidacyjnej w tym getcie. Siedemnastoletnia Sara, ,,Sujka'', zginęła w pierwszej samoobronie getta w styczniu 1943, starsza zaś — Basia — w maju 1943.

W powstaniu getta walczyła cała rodzina Błonesów: Jurek, Guta i Lusiek. Po wyjściu kanałami z płonącego getta 10 maja 1943 zostali zamordowani przez hitlerowców we wsi Płudy w pobliżu Łomianek pod Warszawą.

Wielką rolę w życiu tych młodych ludzi z konspiracji odgrywała miłość. Wśród członków ŻOB spotykamy co najmniej kilkanaście par małżeńskich. Były to, z nielicznymi wyjątkami, związki nieformalne, lecz w pełni akceptowane w środowisku młodzieżowym, zostały też odnotowane w literaturze.

Rodziny bojowców były na ogół rodzinami jednopokoleniowymi. Rodzice ich w momencie powstania już nie żyli. Zginęli, z nielicznymi wyjątkami, w pierwszej i drugiej akcji likwidacyjnej getta warszawskiego (22 VII — 21 IX 1942 i 18—22 I 1943) oraz w innych gettach.

Uczucie osierocenia, owa straszliwa pustka po stracie najbliższych, bezsilna, spalająca od wewnątrz nienawiść do sprawców tych nieszczęść były jednym z istotnych składników klimatu emocjonalnego w gettach szczątkowych. Uczucie to znalazło wyraz zarówno w twórczości ludowej, jak i literackiej owego czasu, było potężnym motorem działań, źródłem owego nakazu wewnętrznego, który zmuszał do nierównej, przegranej pod względem militarnym walki z okupantem.

W dniach od 18 do 22 stycznia 1943 Żydowska Organizacja Bojowa stoczyła swoją pierwszą walkę z hitlerowcami, zaś 19 kwietnia tego roku wybuchło w getcie warszawskim powstanie.

W losach bojowców ŻOB odbiły się dzieje zbrojnej walki getta warszawskiego. 6 spośród 235 badanych aresztowało gestapo jeszcze przed walkami w getcie, 12 zginęło jesienią 1942 w związku z próbą organizacji oddziału partyzanckiego w Werbkowicach w pobliżu Hrubieszowa; w dniach pierwszej samoobrony 18–22 stycznia 1943 padło 19 osób; 18 zginęło śmiercią samobójczą w bunkrze komendy ŻOB przy Miłej 18, w walkach na terenie getta w kwietniu-maju 1943 zginęło 68 spośród badanych, w kanałach — 28 osób; na ,,stronę aryjską'', głównie kanałami, przedostało się 44 bojowców. Większość poległa w walkach partyzanckich w lasach wyszkowskich; czterej polegli w zbrojnych wystąpieniach w gettach Białegostoku, Częstochowy i Będzina, trzej — w powstaniu warszawskim. W 33 przypadkach okoliczności śmierci nie ustalono; zginęli w getcie lub w kanałach.

W dniach walk powstańczych podziały polityczne straciły na znaczeniu. Obok ŻOB walczyli dzielnie i ofiarnie ludzie ŻZW.

Mimo olbrzymiej przewagi sił hitlerowcy zaskoczeni oporem Żydów w pierwszych dniach powstania ponieśli straty, lecz po okresie naziemnych walk na całym terenie getta, po wysadzeniu w powietrze zabudowań ,,szopu'' szczotkarskiego przy Świętojerskiej (pod gruzami zginęło kilkunastu Niemców), po wielkiej bitwie ŻZW na placu Muranowskim, bojowcy przenieśli się do podziemnych bunkrów, które stały się punktami oporu walczącego getta, lecz hitlerowcy niszczyli je po kolei. 8 maja otoczyli bunkier Komendy ŻOB przy Miłej 18 wrzucając do środka świece dymne. Dusząc się w oparach trującego gazu członkowie Komendy i inni bojowcy popełnili zbiorowe samobójstwo.

Od pierwszych dni powstania generał Jürgen Stroop, dowódca tzw. Grossaktion w getcie warszawskim, przystąpił do systematycznego, blok po bloku, wypalania dzielnicy żydowskiej.

Po kilku dniach pojedyncze pożary zlały się w morze płomieni, nad gettem unosiła się olbrzymia chmura gryzącego dymu. W ogniu ginęła głównie ludność cywilna. Po wyczerpaniu amunicji i żywności oraz dużych stratach w ludziach ŻOB szukała wyjścia z płonącego getta, by kontynuować walkę w partyzantce. Po kilku tragicznie zakończonych próbach udało się wreszcie, przy pomocy PPR i GL, wyprowadzić kanałami część bojowców i ludzi z konspiracji.

Pierwsza grupa, ok. 40 osób, wyszła „na stronę aryjską" 29 kwietnia, natomiast druga grupa (ok. 60 osób), która weszła do kanałów 8 maja, a wyszła po dwóch dniach — straciła połowę ludzi.

Nie udało się ewakuować z getta rannych z prowizorycznego szpitalika ŻOB w bunkrze przy ul. Leszno 76. Została z nimi dobrowolnie jedna z bojowniczek, dziewczyna pełna wdzięku, roztaczająca wokół siebie aurę spokoju i zaufania. W połowie maja hitlerowcy spalili schron z rannymi i ich opiekunką.

Organizatorom ewakuacji kanałami nie udało się nawiązać kontaktu z trzema grupami bojowymi, które pozostały w getcie. Grupy te broniły się jeszcze przez kilka tygodni.

W dniu 16 maja Stroop rozkazał wysadzić w powietrze gmach synagogi na Tłomackiem, na znak „zwycięstwa nad Żydami". Walki w gruzach wypalonego getta, słabnące wprawdzie, wybuchały aż do jesieni 1943.

Ostatni akt tragedii getta warszawskiego rozegrał się w obozach SS na Lubelszczyźnie: w Trawnikach i Poniatowej deportowani z getta warszawskiego zorganizowali oddział Żydowskiej Organizacji Bojowej, która obok działalności samopomocowej i kulturalnej przystąpiła do przygotowania zbrojnego wystąpienia więźniów — nie zdążyli jednak. Hitlerowcy wymordowali w dniach od 3 do 5 listopada 1943 przeszło 25 tys. Żydów (głównie warszawiaków) w Trawnikach, Poniatowej i na Majdanku.

Pozostali przy życiu ludzie z ŻOB podjęli raz jeszcze walkę z hitlerowcami w powstaniu warszawskim. Walczyli na Starym Mieście w szeregach Armii Ludowej.

Pod murami powstańczego getta ginęli także w akcjach solidarnościowych Polacy z Armii Krajowej, Gwardii Ludowej i innych organizacji. Za murami od grudnia 1942 r. działała Żegota — Rada Pomocy Żydom.

W egzekucjach w komorach gazowych Chełmna, Bełżca, Sobiboru, Treblinki, Oświęcimia, Majdanka, w esesowskich obozach pracy, w płomieniach powstańczego getta, w kanałach i walkach partyzanckich, zbrojnych wystąpieniach innych gett i w powstaniu warszawskim zginęli Żydzi polscy, a wraz z nimi — powstańcy getta oraz członkowie i respondenci Oneg Szabat. Lecz dzięki ich pracy, dzięki zbiorom odnalezionym po wojnie w gruzach zburzonej Warszawy — z bezkształtnej, pozornie bezosobowej masy ludzkiej, traktowanej na ogół jedynie jako obiekt okrucieństw hitlerowskich, wyłaniają się ludzie pełni życia, o wysokich umiejętnościach zawodowych i walorach intelektualnych, powstaje obraz społeczeństwa o ogromnym potencjale energii i sił twórczych, społeczności, która uporczywie i dzielnie walczyła o życie.

Powstanie w getcie warszawskim było walką nierówną, bohaterską i tragiczną. Było to jednak działanie niezwykle skuteczne. Powstańcy, mimo tragicznego finału, osiągnęli w pełni założone cele: został zrealizowany, postulowany od pierwszych dni okupacji, udział Żydów z getta w wojnie z hitlerowską Rzeszą.

Drugim zrealizowanym celem o długofalowych reperkusjach moralnych było poruszenie opinii świata, wstrząsający protest przeciwko ludobójstwu.

IZAAK CELNIKIER, *Bez powrotu,* af. 1981

Getto walczy

(Udział Bundu w obronie getta warszawskiego)

Nakładem C.K. „Bundu'' — Warszawa 1945

MAREK EDELMAN

> *Książeczkę tę, której maszynopis przyniósł mi jej nieznajomy młody autor, jeden z przywódców żydowskiego Powstania, przeczytałam jednym tchem, nie odrywając się od niej na chwilę.*
> *— Ja nie jestem pisarzem — powiedział. — To nie ma żadnej wartości literackiej. Jednak jego nieliterackie opowiadanie osiąga to, co udaje się nie wszystkim arcydziełom. Daje w słowie poważnym, celnym, powściągliwym, wolny od frazesu protokół zbiorowego męczeństwa, utrwala mechanizm jego przebiegu. Jest także autentycznym dokumentem zbiorowej mocy ducha, ocalonej z największej klęski, jaką znają dzieje narodów.*

> *Łódź, w listopadzie 1945 r.*   ZOFIA NAŁKOWSKA

Pamięci Abraszy Bluma

Okupant niemiecki, zdobywając w 1939 r. Warszawę, zastaje społeczeństwo żydowskie w stanie całkowitego chaosu i rozbicia. 7-go września opuścił Warszawę cały prawie aktyw społeczny. Przywódcy polityczni, działacze społeczni, inteligencja pozostawili Stolicę własnemu losowi. Trzystutysięczna masa żydowska poczuła się bardziej niż inni bezradna i samotna.

Wobec takiej sytuacji nietrudno jest Niemcom w krótkim czasie nad tą masą zapanować, zgnębić ją represjami i doprowadzić do stanu biernej rezygnacji. Wyrafinowany, doświadczony aparat propagandy niemieckiej działa bezustannie w tym kierunku, rozsiewając nieprawdopodobne — jak na owe czasy — pogłoski, które zwiększają panikę i dezorganizację. W krótkim czasie represje wobec Żydów przestają ograniczać się do przygodnego bicia w pysk, sadystycznego wyciągania z mieszkań, czy chaotycznych łapanek ulicznych do bezcelowych robót. Represje nabierają charakteru konkretnego, systematycznego.

Już w połowie listopada 1939 r. ogłoszone zostają pierwsze „niszczące'' zarządzenia: wprowadzenie obozów „wychowawczych'' dla całej ludności żydowskiej i pozbawienie Żydów całego majątku powyżej 2000 zł na rodzinę. Dalej, kolejno, jedne za drugimi sypią się zakazy i ograniczenia: nie wolno pracować w wielkim przemyśle, nie wolno pracować w instytucjach publicznych i państwowych, nie wolno wypiekać pieczywa, nie wolno zarabiać ponad 500 zł miesięcznie (a cena chleba w pewnych okresach dochodzi do 80 zł za kilo), nie wolno sprzedawać ani kupować u „aryjczyków'', nie wolno leczyć się u „aryjskich'' lekarzy, nie wolno leczyć „aryjskich'' chorych, nie wolno jeździć pociągami, tramwajami, nie wolno opuszczać granic miasta bez specjalnego zezwolenia, nie wolno posiadać złota, biżuterii. Od 12 listopada każdy Żyd od 12 lat musi nosić na prawym ramieniu białą opaskę z niebieską gwiazdą Dawida (w niektórych miastach, jak Łódź, Włocławek — żółte łaty na plecach i piersiach).

Ludność żydowska, bez przyczyny bita, poniewierana, mordowana, żyje w ciągłym strachu. Nieprzestrzeganie przepisów grozi jedynym wymiarem kary — śmiercią, przestrzeganie ich nie chroni przed tysiącem coraz bardziej fantastycznych szykan, coraz większych prześladowań, coraz częstszych aktów terroru, coraz ostrzejszych zarządzeń. Ukoronowaniem ich jest niepisane prawo zbiorowej odpowiedzialności. Tak więc w pierwszych dniach listopada 1939 r. rozstrzelanych zostaje 50 mężczyzn z domu Nalewki 9 za rzekome pobicie przez jednego z mieszkańców policjanta polskiego. Ten pierwszy wypadek zbiorowego morderstwa pogłębia jeszcze nastroje paniczne wśród Żydów. Strach przed Niemcem wzrasta do nieopisanych granic.

W takiej atmosferze i w takich zmienionych kardynalnie warunkach Bund rozpoczyna, a właściwie kontynuuje swą społeczną i polityczną działalność. Znajdują się bowiem wśród nas ludzie, którzy mimo wszystko, co się stało, próbują działać dalej. Świadomość tego, że można w każdej chwili zginąć, i to nie za to, co się robi, ale jako zbity, zmaltretowany nieczłowiek — Żyd, działa przy tym szalenie deprymująco. Brak poczucia własnego ja odbiera wszelką chęć do pracy, wszelką pewność siebie. To właśnie wyjaśnia najlepiej, dlaczego działalność nasza w tym pierwszym okresie po upadku Warszawy jest głównie charytatywna, dlaczego wszelkie odruchy walki zbrojnej z okupantem przychodzą stosunkowo tak późno i w tak słabej na początku formie. Po prostu gigantycznym wysiłkiem jest dla nas już samo przezwyciężenie własnej rozpaczliwej apatii, wykrzesanie z siebie jakiejkolwiek aktywności, samo przeciwstawienie się ogólnej panice.

W najcięższych chwilach Bund ani na chwilę nie zawiesza swej działalności. Zmuszony we wrześniu do wyjazdu Centralny Komitet Partii poleca prowadzenie pracy partyjnej Abraszy Blumowi (jedynemu, zdaje się, z działaczy, który wśród ogólnej ucieczki decyduje się dobrowolnie pozostać w Warszawie). Organizuje on wraz z Arturem Zygielbojmem, w porozumieniu z obrońcą Warszawy, prezydentem Starzyńskim, żydowskie oddziały, które biorą czynny udział w obronie Stolicy. Wyjechała cała redakcja ,,Folkscajtung'' (dziennik partyjny). Pomimo to 7-go września ukazuje się normalnie pismo i redagowane przez tow. tow. Abraszę Bluma, Kloga i Klina, wychodzi regularnie podczas całego oblężenia.

Uruchomione w czasie oblężenia jadłodajnie i kuchnie społeczne funkcjonują nadal. Pomoc materialną otrzymują wszyscy prawie członkowie partii i związków zawodowych. Abrasza Blum organizuje tuż po wkroczeniu Niemców do Warszawy nowe Centralne Kierownictwo Partii (A. Blum, L. Klog, S. Nowogródzka, B. Goldsztein, a następnie A. Sznajdmil — Berek oraz M. Orzech).

W styczniu 1940 r., gdy zostaje wykryta pierwsza radiostacja polskiej organizacji podziemnej, napływa druga fala terroru. Niemcy w ciągu jednej nocy aresztują i mordują przeszło 300 osób spośród działaczy społecznych, inteligencji pracującej i wolnych zawodów. Ale na tym okupant nie poprzestaje. Zostaje wprowadzone jeszcze nie getto, ale przygotowanie do niego, tzw. Seuchenspergebiet (obszar zagrożony tyfusem), poza którym Żydom nie wolno mieszkać. Żydzi stanowią bezpłatną siłę roboczą wykorzystywaną zarówno dla Niemców, jak i dla Polaków. Ale tego jeszcze za mało. Świat musi wiedzieć, że nie tylko Niemcy nienawidzą Żydów.

W czasie Świąt Wielkanocnych 1940 roku zostaje zorganizowany kilkudniowy pogrom. Niemieccy lotnicy werbują polskie męty, płacąc im po 4 zł za ,,dzień roboczy''. Przez pierwsze trzy dni hulają bezkarnie. Czwartego dnia bundowska milicja przeprowadza akcję odwetową. Dochodzi do czterech dużych walk ulicznych: Solna — Hale Mirowskie, Krochmalna — plac Grzybowski, Karmelicka — Nowolipie, Niska — Zamenhofa. Akcją z ukrycia kieruje towarzysz Bernard.

O tym, jak bardzo zdezorientowane było w tym czasie społeczeństwo żydowskie, świadczy fakt, że żadna z działających wówczas partii w akcji tej nie brała udziału. Co więcej — wszystkie one były jej nawet przeciwne. Akcja nasza wstrzymuje jednak wówczas działalność Niemców i staje się pierwszym czynnym wystąpieniem społeczeństwa żydowskiego.

Trzeba było, żeby ogół to zrozumiał. Trzeba było tym wszystkim zbitym, zgnębionym ludziom powiedzieć, trzeba im było pokazać, że przecież mimo wszystko i wbrew wszystkiemu jesteśmy jeszcze zdolni do tego, żeby podnieść głowę. Wtedy to, na dzień 1 Maja, ukazuje się wydany na starym powielaczu Skifu*, znalezionym przypadkowo w szkole powszechnej na Karmelickiej 29 pierwszy numer ,,Biuletynu'', redagowany przez Komitet Redakcyjny w składzie: Abrasza Blum, Adam Sznajdmil, Bernard. Numer poświęcony jest wypadkom wielkanocnym. Ale ogół pozostaje głuchy.

W listopadzie 1940 roku Niemcy tworzą w Warszawie getto. Cała ludność żydowska, mieszkająca jeszcze poza ,,Seuchenspergebiet'', zostaje przesiedlona na te tereny. Polacy mieszkający w obrębie getta opuszczają swoje mieszkania. Dla małych fabryk, warsztatów i sklepów termin przeniesienia jest o dwa tygodnie dłuższy. Czyli do 1 grudnia. Ale już 15 listopada żadnemu Żydowi nie wolno opuścić dzielnicy żydowskiej. Niemcy natychmiast opieczętowują lokale pożydowskie i następnie wraz z całym inwentarzem oddają je bezpłatnie handlarzom i szmuglerom polskim. Szmuglerzy i pokątni handlarze — to ludzie, na których Niemcy liczą, których starają się sobie zjednać, oddając im mienie żydowskie i patrząc przez palce na prowadzony przez nich przemyt towarów żywnościowych.

Skif — ,,Socjalistiszer Kinder-farband'' — bundowska organizacja harcerska.

Z dnia na dzień rosną teraz mury i druty okalające getto, aż 15 listopada odcinają całkowicie społeczeństwo żydowskie od świata i ludzi z zewnątrz. Przerwany zostaje oczywiście również kontakt z Żydami z innych miast i miasteczek. Znikają wszystkie możliwości zarobków dla robotników żydowskich. Wszyscy robotnicy przemysłu, urzędnicy państwowi, komunalni i pracownicy „aryjskich" firm zostają bez pracy. Powstaje typowa wojenna warstwa handlarzy — pośredników. Większa jednak część pozostaje w nowych warunkach bezrobotna, i z początku wysprzedając wszystko, co się da spieniężyć, powoli stacza się ku skrajnej nędzy. Mimo szumnie zapowiedzianej przez Niemców produktywizacji getta następuje zupełna pauperyzacja. Do tego dochodzą tysięczne rzesze Żydów wysiedlonych z okolicznych małych miasteczek, ludzi wyzbytych całego prawie mienia, którzy tu, bez żadnego oparcia, w obcym, zajętym sobą środowisku, ginąc z głodu, budować muszą na nowo swój byt.

Całkowita separacja, zakaz wprowadzania prasy, niedopuszczanie wiadomości ze świata, mają także swój określony cel i zgodnie z nim kierują ogół żydowski na specjalne tory. To, co się dzieje poza murami, staje się coraz dalsze, coraz bardziej mgliste, obce. Ważny jest już tylko dzień dzisiejszy, sprawy najbliższe, ludzie bezpośredniego otoczenia i na tym skupiają się siłą rzeczy wszystkie zainteresowania przeciętnego mieszkańca getta. Ważne jest tylko to, żeby żyć.

To „życie" każdy rozumie na swój sposób zależnie od warunków i możliwości. Dostatnie dla ludzi bogatych jeszcze sprzed wojny, wystawne, bujne dla różnego rodzaju zdegenerowanych gestapowców, zdemoralizowanych szmuglerów — jest ono głodową wegetacją, mającą u podstaw zupę z kuchni ludowej i chleb kartkowy dla licznej rzeszy robotników i bezrobotnych. Tego „życia" każdy czepia się kurczowo na swój sposób. Ci, którzy mają pieniądze, widzą cel w dostatku, gonią za nim w duszny gwar pełnych zawsze kawiarń, nurzając się w nim wśród muzyki tanecznej, nocnych lokali. Ci, którzy nie mają nic, nędzarze — szukają „szczęścia" ukrytego w wygrzebanym ze śmietnika spleśniałym kartoflu, odnajdują je, uciekające, w wyżebranym kawałku chleba, który na chwilę pozwala zapomnieć o tym, co znaczy głód. Stąd ta kontrastowość ulicy getta, tyle razy wykorzystywana przez Niemców, fotografowana dla celów propagandy i złośliwie przekazywana opinii świata: „Oto w getcie warszawskim przed wspaniałymi wystawami, pełnymi przemyconej z dzielnicy aryjskiej żywności, mrą nędzarze spuchnięci z głodu".

A głód rośnie z dnia na dzień, wydostaje się z ciemnych, natłoczonych mieszkań na ulice, wciska się w oczy widokiem karykaturalnie obrzękniętych ciał — kloców, owiniętych brudnymi szmatami zaropiałych nóg, pokrytych wrzodami, ranami z odmrożenia i niedożywienia. Głód przemawia przez usta żebrzących po podwórkach starców, młodych i dzieci.

Dzieci żebrzą masowo. Żebrzą w getcie, żebrzą „po stronie aryjskiej". Sześcioletni malcy przekradają się przez druty tuż pod bokiem żandarma, by po „tamtej stronie" zdobyć trochę żywności. W ten sposób utrzymują całe rodziny. Często strzał przy drucie zawiadamia przechodniów, że jeden mały szmugler zginął w walce z głodem. Pojawiają się tzw. chaperzy — chłopcy, a właściwie szkielety dawnych chłopców, którzy wyrywają przechodniom paczki i momentalnie, jeszcze w biegu, uciekając, pożerają ich zawartość. Często zdarza się, że w pośpiechu pakują do ust mydło, albo surowy groch.

Nędza jest tak wielka, że ludzie umierają z głodu na ulicach. Codziennie około godziny 4–5 nad ranem zakłady pogrzebowe zbierają z ulic kilkanaście trupów, które przygodny przechodzień przykrył gazetą i, żeby nie sfrunęła, przycisnął kamieniem. Jedni padają na ulicy, inni umierają w domu, lecz rodzina rozbierając ich do naga (by spieniężyć ubranie) wyrzuca ciało przed dom, by pogrzeb odbył się na koszt Gminy Żydowskiej. Szeregi wozów, naładowane nagimi trupami, jadą ulicami. Jeden na drugim leżą kościste szkielety — na nierównym bruku podskakują głowy, uderzają o siebie, odbijają się o deski wozu.

Sytuacja staje się tragiczna, gdy getto zalewają wysiedleni mieszkańcy małych miast i miasteczek. Nie ma domów, brak pomieszczeń. Bezdomni, brudni wałęsają się ludzie po ulicach. Całymi dniami obozują, śpią i jedzą na podwórzach. Wreszcie lokują się w powstałych w tym celu „punktach" — przejściowych domach dla uchodźców. „Punkty" te — to jedna z najczarniejszych plam życia getta, plaga, której nie sposób zwalczyć (jedynie część dzieci udaje się przenieść do lepszych warunków internatu).

W wielkich, pustych, nie opalonych salach bóżnic i hal pofabrycznych gnieździ się po kilkaset osób. Brudni, zawszeni, nie mając możliwości umycia się, niedożywieni, głodni („waserzupki" dostarcza raz dziennie Rada Żydowska), leżą całymi dniami na brudnych siennikach, nie mając siły wstać. Na ścianach zielonymi plamami maże się pleśń. Sienniki leżą na ziemi, rzadko na pryczach. Na całą rodzinę przypada często jedno miejsce do spania. Tu dopiero w całej pełni, niczym nie skrępowane, panują nędza i głód.

Jednocześnie szaleje tyfus plamisty. Coraz więcej bram domów i mieszkań upstrzonych jest żółtymi ostrzegawczymi kartkami ,,Fleckfieber!''. Szczególnie masowo chorują nędzarze na ,,punktach''. Szpitale, zamienione wyłącznie na zakaźne, są pełne. Na jeden oddział przyjmuje się dziennie 150 chorych, którzy leżą później po dwóch — trzech w łóżkach i na podłodze. Nad umierającym stoi się ze zniecierpliwieniem, żeby prędzej zwolnił miejsce dla następnego. Lekarze nie mogą nadążyć, nie wystarczają. Ludzie mrą setkami. Cmentarz nie może pomieścić wszystkich. Grabarze nie nadążają grzebać. Chociaż do jednego grobu wrzuca się po pięćset trupów, setki leżą nie pochowane po kilka dni, spowijając cały cmentarz w mdły, słodkawy zapach. Epidemia rośnie, nie sposób jej zwalczyć. Tyfus jest wszędzie, grozi zewsząd, staje się wraz z głodem wszechmocnym panem getta. Śmiertelność miesięczna dochodzi do 6000 ludzi (jest to przeszło 2% ludności). W tych tragicznych warunkach życia żydowskiego Niemcy starają się wprowadzić pozory porządku i władzy. Od pierwszego dnia istnienia getta Rada Żydowska (Judenrat) oficjalnie sprawuje rządy. Dla utrzymania należytego ,,porządku'' powołana zostaje umundurowana żydowska służba porządkowa. Odtąd szmuglujące przez druty dzieciaki muszą wystrzegać się jeszcze jednej władzy, a ludność getta ma już trzech ,,cerberów'' — Niemca, policjanta polskiego i policjanta żydowskiego. Instytucje mające gettu nadać charakter jakiegoś normalnego życia — faktycznie są źródłami daleko idącej korupcji i demoralizacji. Niemcom udaje się powołać do Rady Żydowskiej najbardziej znanych obywateli. Jedynym członkiem Rady Żydowskiej, który posiada odwagę cywilną wycofania się z tej instytucji, mimo grożącej za to kary śmierci, jest towarzysz Artur (Szmul Zygielbojm). W takiej atmosferze w lutym 1941 roku nadchodzą do Warszawy pierwsze wiadomości o gazowaniu Żydów w Chełmnie na Pomorzu. Przywożą je trzej cudem uratowani uciekinierzy. Z relacji ich wynika, że w przeciągu listopada i grudnia w 1940 r. zostało w Chełmnie zagazowanych około 40 000 Żydów łódzkich, drugie tyle z Pomorza i innych miasteczek włączonych do Rzeszy i kilkuset Cyganów z Besarabii. Niemcy mordowali w znany już teraz, wysoce wyrafinowany sposób. Wmawiali swym ofiarom, że jadą na roboty, kazali zabierać ręczne bagaże, następnie po przywiezieniu do zamku w Chełmnie wszyscy zostali rozebrani do naga, każdy otrzymał ręcznik i mydło rzekomo w celu udania się do kąpieli. Przy doskonale zachowanych pozorach wprowadzono ich następnie do hermetycznie zamkniętych samochodów, w których znajdowały się komory gazowe. Gaz był włączany siłą pracy motoru samochodowego. Następnie na polanie w lasku pod Chełmnem żydowscy grabarze wyjmowali trupy z samochodów i grzebali je. Cały las otoczony był 200 SS-manami. Akcją kierował SS-man Bykowiec. Kilkakrotnie miały miejsce inspekcje generałów SS i SA.

Getto warszawskie w te wiadomości nie uwierzyło. Nie mogli uwierzyć ci wszyscy czepiający się życia ludzie, że to życie może być im w taki sposób zabrane. Jedynie zorganizowana młodzież, obserwująca uważnie stopniowy wzrost terroru niemieckiego, uznała wypadki te za prawdopodobne i prawdziwe i postanowiła przeprowadzić szeroką akcję propagandową dla uświadomienia społeczeństwa. W połowie lutego 1941 r. odbywa się zebranie aktywu Cukunftu*), na którym przemawiają Abrasza Blum i Abramek Bortensztein. Jasnym jest dla wszystkich, że nie będziemy ginąć bezbronnie. Wstyd nam za Żydów chełmińskich, że dali się bez najmniejszego oporu poprowadzić na śmierć. Nie chcemy dopuścić do tego, by getto warszawskie kiedykolwiek znalazło się w podobnej sytuacji. ,,Nie będziemy umierać na kolanach'' — mówi Abramek. ,,Przykład weźmiemy nie z nich, ale z ludzi takich, jak towarzysz nasz Ałter Bas''. Właśnie w tym samym czasie, kiedy tamci ginęli biernie i pokornie, on, złapany jako działacz polityczny z nielegalnymi gazetami w kieszeni, męczony wszystkimi znanymi Niemcom sposobami, przeciwstawiał się całą swoją istotą bestialskiej przemocy, choć za cenę kilku słów mógł uratować życie.

W kilkudziesięciu egzemplarzach kolportowany jest w getcie opis zbrodni chełmińskiej. Za granicę przesyłamy raport z żądaniem zastosowania kroków represyjnych wobec ludności cywilnej niemieckiej. Ale zagranica także nie wierzy. Apel nie znajduje oddźwięku, pomimo że tow. Artur Zygielbojm — w owym czasie już przedstawiciel nasz w Radzie Narodowej w Londynie — ogłasza

*) Cukunft — ,,Przyszłość'' — bundowska organizacja młodzieży.

całemu światu w przemówieniu radiowym dosłowny tekst naszej iskrówki. Nazajutrz przemówienie to w specjalnie wydanym numerze naszego organu „Der Weker" oraz w gazetach wszystkich innych stronnictw politycznych kolportowane jest na całe getto.

Wybuch wojny rosyjsko-niemieckiej (lato 1941) daje początek masowym akcjom eksterminacyjnym na terenach zachodniej Białorusi i Ukrainy. W listopadzie tego roku mają miejsce masowe rozstrzeliwania Żydów w Wilnie, Słonimie, Białymstoku i Baranowiczach. Na Ponarach (pod Wilnem) ginie w krótkiej akcji kilkadziesiąt tysięcy Żydów. Wiadomości te przychodzą do Warszawy. I znów podejście nieświadomego społeczeństwa jest krótkowzroczne. Większość uważa, że nie jest to zorganizowana, uporządkowana akcja tępienia narodu żydowskiego, ale wybryk żołdactwa upojonego zwycięstwem. Natomiast stronnictwa polityczne i ugrupowania społeczne są innego zdania.

W styczniu 1942 roku odbywa się konferencja międzypartyjna. Wszystkie stronnictwa stają na stanowisku, że jedyną godną odpowiedzią jest akcja zbrojna. Po raz pierwszy pada wówczas ze strony organizacji „szomrowych" i „chalucowych" konkretna propozycja zawiązania organizacji bojowej. W naszym imieniu zabierają głos M. Orzech i A. Blum. Zajmują oni stanowisko, że wystąpienie zbrojne może mieć powodzenie jedynie w porozumieniu i współdziałaniu z ruchem konspiracyjnym polskim. Nie dochodzi jednak wówczas jeszcze do utworzenia wspólnej organizacji bojowej.

My tworzymy w porozumieniu z Polskimi Socjalistami (skrajna lewica P.P.S.) pierwszą organizację bojową. Do Komendy należą: Bernard, Abrasza, Berek. Organizuje się pierwsza piątka instruktorów — Liebeskind (z Łodzi), Zygmunt Frydrych, Lejb Szpichler, Abram Fajner, Marek Edelman. Zaczynamy naszą pracę od teoretycznego wyszkolenia. Zupełny brak broni uniemożliwia nam rozszerzenie działalności. Praca ogranicza się więc właściwie do ciągłych wywiadów wśród gestapowców i tym samym do ostrzegania ludzi przed ewentualnymi „wsypami". W wywiadzie pracują: Pola Lipszyc, Cywia Waks, Zośka Goldblat, Łajcia Blank, Stefa Moryc, Mania Elenbogen, jak również towarzysze z P.S. — Marian Merenholc, Mietek Dąb i inni. Aczkolwiek jesteśmy bardzo ograniczeni w możliwościach, to jednak już sam fakt powstania podobnej organizacji ma swoje wymowne znaczenie — inicjatywa nasza zostaje przyjęta z pełnym uznaniem przez wszystkich wtajemniczonych towarzyszy. Komitet partyjny, komitety Cukunftu i Skifu okazują nam pomoc i zainteresowanie.

W tym czasie Bund, jak na warunki konspiracji, jest wielką organizacją. W uroczystościach w związku z 44-leciem Bundu w październiku 1941 roku wzięło udział w ciągu kilku godzin w wielu lokalach przeszło 2.000 osób. Na pozór trudno cokolwiek dostrzec. Praca odbywa się w rozproszeniu — małe grupy — „piątki" lub „siódemki" zbierają się w różnych mieszkaniach prywatnych i na zewnątrz nie widać wcale, jak ich jest wiele.

Powstaje Rada Centralna Klasowych Związków Zawodowych (Bernard, Kersz, Mermelsztein), obejmujących z biegiem czasu około 30.000 byłych członków.

Szeroką działalność rozwija Cukunft, którego konspiracyjny Komitet zawiązał się już w pierwszych dniach października 1939 roku, a w połowie listopada tego roku odbyły się zebrania „piątek". W ogólnej tragicznej sytuacji całej ludności żydowskiej najtragiczniejsza jest sytuacja młodzieży, która najbardziej jest prześladowana przez Niemców. Łapana bezustannie na roboty, nie tylko nie może myśleć o zajęciu się pracą zarobkową, ale nie może nawet swobodnie poruszać się po ulicach. Komitet Cukunftu organizuje więc warsztaty pracy. W 1940 r. zostają założone dwa zakłady fryzjerskie, spółdzielnia krawiecka i szewska. Są to nie tylko zakłady pracy, ale możliwie bezpieczne miejsca spotkań całej organizacji. Tu właśnie powstają pierwsze piątki „Cukunftszturmu". Praca rozwija się, komitet Cukunftu łączy się z komitetem Skifu (Henoch Russ, Abramek Bortensztein, Lejb Szpichler, Abram Fajner, Miriam Szyfman, Mojsze Kaufman, Rywka Rozensztajn, Fajgele Peltel, Welwł Rozowski, Jankiel Gruszka, Szłojme Paw, Marek Edelman).

W 1941 roku powstaje Sektor Młodzieży przy Żydowskiej Samopomocy Społecznej, filarem jego jest Cukunft. Docieramy do najszerszych rzesz młodzieży. Prelegenci nasi prowadzą koła młodzieżowe, które w tym czasie tworzą się przy Komitetach domowych. Istnieje chór, który rozwija szeroką działalność (występuje w Bibliotece Judaistycznej). Cukunft organizuje młodzież szkolną. Powstaje S.O.M.S. (Socjalistyczna Organizacja Młodzieży Szkolnej), która po krótkim czasie obejmuje kilkuset uczniów. Jest prowadzona szeroka praca polityczno-kulturalna.

Jednocześnie Skif, który na początku działał tylko w małym zakresie, starając się zatrudnić i pomagać finansowo swym przedwojennym członkom, obecnie organizuje na dużą skalę pracę wśród dzieci w wieku szkolnym i przedszkolnym. W każdym domu istnieje tzw. ,,kącik'', gdzie dzieci przebywają kilka godzin dziennie. Organizowane są świetlice. Koło dramatyczne, którym kieruje Pola Lipszyc, dwa razy w tygodniu urządza przedstawienie. W ciągu sezonu (rok 1941) oglądało je 12 tysięcy dzieci (80 razy wystawiano m. in. ,,Lalki'' i ,,Szpajchler'').* Wśród dzieci w wieku od 12 do 15 lat prowadzone są koła oświatowe. Istniejący ,,Helferrat'' (rada instruktorów) sam przechodzi kurs szkoły średniej.

Wydajemy 6 pism: 1. ,,Der Weker'' (tygodnik), 2. ,,Biuletyn'' (miesięcznik), 3. ,,Cajt-Fragn'' (organ teoretyczny), .4. ,,Za naszą i waszą Wolność'' (miesięcznik), 5. ,,Jugnt Sztime'' (miesięcznik), 6. ,,Nowa Młodzież'' (miesięcznik). Nakład pism waha się od 300 do 500 egzemplarzy.

Wydawanie prasy odbywa się w bardzo ciężkich warunkach. Na jednym starym powielaczu Skifu odbija się przez całą noc. Przeważnie nie ma światła elektrycznego. Praca przy lampach karbidowych jest szalenie męcząca. Około godziny 2-ej w nocy personel drukarni (a byli to nasi towarzysze Rozowski, Zyferman, Blumka Klog, Marek) zawsze tak narzeka na ból oczu, że dalsza praca staje się prawie niemożliwa. Nie wolno jednak tracić ani chwili. O siódmej nad ranem numer, niezależnie od ilości stron, musi być gotów do kolportażu. Ludzie pracują naprawdę ponad siły. Takie bezsenne noce wypadają 2—3 razy w tygodniu. W dzień odespać nie można. Trzeba wszak zachować pozory, że się z drukarnią nie ma nic wspólnego. Kierownik drukarni — Marek jest jednocześnie kierownikiem kolportażu (kolporterki — Zośka Goldblat, Anka Wołkowicz, Stefa Moryc, Miriam Szyfman, Marynka Segalewicz, Cłuwa Kryształ-Nisenbaum, Chajka Bełchatowska, Halina Lipszyc). Po nieprzespanej nocy — cały dzień w napięciu — czy wszystko doszło, czy wszystko załatwione, czy nie ma jakiej ,,wsypy''.

Raz Marynkę z transportem 40 sztuk ,,Biuletynu'' zatrzymuje na ulicy ,,granatowy'' policjant. Było to pod murem na Franciszkańskiej. Chciała tę sprawę załatwić jak każda szmuglerka — zaproponowała 500 zł. Zbyt duża suma zdradziła ją. Policja koniecznie chciała obejrzeć towar. I tu nastąpił dopiero krach. Zamiast pończoch ze spódnicy posypały się białe kartki. Sprawa stała się poważna. Marynka czuła się już na Gestapo. Aż nagle szczęśliwy zbieg okoliczności — na ulicy jakaś awantura, bójka. Pod murem rzecz niedopuszczalna. Policjanci tracą głowę, nie wiedzą, co wpierw robić. Na chwilę odwracają się. To dla Marynki wystarcza. Rzuca policjantom przyrzeczone 500 złotych, zbiera szybko rozsypane gazetki i w nogi... Zamieszanie na ulicy wywołał celowo Mały Kostek (S. Kostryński), obserwując z daleka tę scenę.

Udało nam się przeprowadzić pewnego rodzaju statystykę, z której wynikało, że przeciętnie każdy egzemplarz czyta 20 osób.

Pisma nasze są też kolportowane na prowincję. Ten dział pracy organizuje J. Celemeński (Celek) oraz I. Falk, którzy cały czas z ramienia C.K. Partii są w żywym kontakcie z prowincją. Dla organizowania pracy wśród młodzieży C.K. Cukunftu deleguje na prowincję Mendelsona (Mendele). Największe ośrodki to Piotrków, Lublin i Węgrów.

Tymczasem terror w getcie wzrasta. Izolacja od świata zewnętrznego staje się coraz ściślejsza. Aresztowania za przejście na ,,aryjską stronę'' mnożą się z dnia na dzień, aż w końcu zostają wprowadzone ,,sądy specjalne''. Dnia 12 lutego 1941 roku wykonany zostaje wyrok śmierci na 17 skazanych za bezprawne przejście na ,,aryjską stronę''. Egzekucja odbywa się w areszcie żydowskim na Gęsiej. O 4-ej nad ranem przeraźliwe krzyki obwieściły mieszkańcom pobliskich ulic, że teraz ,,sprawiedliwości staje się zadość''. Że 17-tu nędzarzy (w tym czworo nieletnich i trzy kobiety), przekradających się na ,,stronę aryjską'' po kawałek chleba lub drobny zarobek, zostaje ukaranych. Krzyk dochodzi ze wszystkich cel więziennych. To krzyczą przyszli skazańcy, osądzeni za te same przewinienia. A jest ich 700.

W godzinach południowych niemiecki komisarz getta Dr. Auerswald zawiadamia w specjalnych obwieszczeniach całą ludność żydowską o wykonaniu wyroku.

Getto czuje wyraźnie oddech śmierci.

Tego samego dnia na krótkim posiedzeniu prezydium C.K. Partii (Abrasza, Klog, Berek i Marek) pada projekt wydania i plakatowania krótkich ulotek: ,,A szande di merder!'' (Hańba mordercom!).

Niestety, popiera go jedynie Abrasza.

---

* Znane przedstawienia z Sanatorium im. Medema w Miedzeszynie.

Pozostali, tak samo jak całe getto, przytłoczeni są grozą wypadków i obawą przed nowymi zbiorowymi konsekwencjami. I tym razem wszelki przejaw buntu zostaje zduszony w zarodku. Strach przed Niemcami i przed zbiorową odpowiedzialnością jest tak wielki, że nawet u najlepszych nie można wydobyć odruchu protestu.

Teraz wypadki zaczynają toczyć się w zawrotnym tempie. Ulice getta stają się krwawą rzeźnią. Niemcy bezustannie bez jakichkolwiek przyczyn strzelają do przechodniów. Ludzie boją się wychodzić z domów, ale kule trafiają i przez okna mieszkań. Bywają dni, kiedy pada 10—15 zupełnie przypadkowych ofiar rozszalałego terroru. Jeden z większych sadystów, żandarm Schutz — Polizei — Frankenstein ma na sumieniu 300 zabitych w ciągu 1 miesiąca, w tym przeszło połowę dzieci.

Jednocześnie Niemcy gwałtownie przy pomocy żydowskiej policji łapią na ulicach, wyciągają z mieszkań i wysyłają ludzi do obozów pracy rozrzuconych w Guberni. Zyskują na tym podwójnie — zdobywają siłę roboczą i pokazują namacalnie wszystkim, którzy może nie ufają, że wszelkie wysiedlenie ma na celu ,,produktywizację'', że w niemieckim obozie pracy, co prawda w ciężkich warunkach, ale można przeżyć wojnę. Niemcy są wspaniałomyślni. Pozwalają pisać listy do rodziny.

Te listy nadchodzą masowo do getta i sprawiają, że docierające wraz z nimi coraz to nowe wiadomości o niszczeniu ludności żydowskiej w żaden sposób nie mogą znaleźć wiary. Ciągłe wysiedlania na prowincji, rzekomo do Besarabii, przechodzą prawie bez wrażenia, gdyż getto uparcie ufa plotce, że stamtąd także przychodzą listy.

Stracenie w lasach lubelskich całego prawie transportu jeńców żydowskich, sprowadzonych tam w zeszłym roku z Niemiec, również nie znajduje wiary. Wieści o mordowniach pod Lublinem są za okrutne, żeby mogły być prawdziwe.

Getto n i e w i e r z y.

My jednak czynimy wszelkie starania otrzymania broni ze ,,strony aryjskiej''. Zwiększamy naszą organizację bojową. Członkowie jej rekrutują się przeważnie z aktywu Skifu (Szmul Kostryński, Jurek Błones, Janek Bilak, Lejb Rozensztajn, Icł Szpilberg, Kuba Zylberberg, Mania Elenbogen i wielu innych). Trudno tu opisać koleje i borykania się tej pracy. Jest to łańcuch nieprzerwanych rozczarowań i niepowodzeń. Ciągle zawiedzione nadzieje otrzymania broni, brak zrozumienia dla naszej sprawy ze strony polskich towarzyszy — to atmosfera, w której rośnie i działa nasza organizacja.

Gdy zdawało się, że już jesteśmy blisko celu, że lada dzień zaczną przybywać do getta transporty broni — przychodzi wiadomość o likwidacji getta w Lublinie. Już od kilku miesięcy, po ,,grubej wsypie'' Celka i wielu innych towarzyszy w Piotrkowie i Lublinie, komunikowanie się z prowincją jest prawie niemożliwe. Getto warszawskie wobec braku bezpośredniego kontaktu z prowincją przyjmuje te wiadomości z niedowierzaniem, wysuwa tysiące argumentów, zbijających całkowicie najlżejszy nawet cień prawdopodobieństwa tych relacji, nie dopuszcza do siebie myśli, że podobna zbrodnia powtórzyć się może w stolicy Polski, gdzie mieszka przeszło 300 000 Żydów. Ludzie przekonywują się nawzajem, tłumaczą sobie i drugim, że ,,nawet Niemcy nie mordują bez powodu setek tysięcy ludzi, szczególnie w okresie, gdy tak bardzo jest im potrzebna siła robocza''. Trudno jest normalnemu człowiekowi o normalnej psychice zrozumieć, jak można ludzi mordować za to, że mają taki, a nie inny kolor włosów i oczu, za to, że są innego pochodzenia.

Jednakże bezpośrednio po tych wiadomościach, jakby jaskrawa zapowiedź tego, co się stanie, następuje tragiczna, krwawa noc z 17-go na 18-go kwietnia 1942 roku. Niemieccy oficerowie wyciągają z domów przeszło 50 działaczy społecznych i rozstrzeliwują ich na ulicach getta. Z naszych towarzyszy padli wówczas — Goldberg z żoną (fryzjer), Naftali Leruch z ojcem, Sklar i inni. Poszukiwani byli — Sonia Nowogródzka, Luzer Klog i Berenbaum. Nazajutrz całe getto przerażone, oszołomione, zdenerwowane, gubi się w domysłach, jaki był powód tych egzekucji. Większość uważa, że to stracono redaktorów gazetek nielegalnych, że ta cała akcja skierowana jest tylko przeciwko działaczom politycznym, że należy przestać działać, by niepotrzebnie nie zwiększać i tak dużej liczby ofiar.

19 kwietnia ukazuje się specjalny numer naszego tygodnika ,,Der Weker'', który wskazuje na to, że jest to jeszcze jedno ogniwo w akcji wyniszczenia Żydów, że Niemcy chcą wymordować aktywniejsze elementy żydowskie, by potem cała masa poszła biernie na śmierć, tak jak to miało miejsce w Wilnie, Białymstoku, Lublinie i innych miastach. Pogląd nasz pozostaje jednak nadal

zupełnie odosobniony, tylko niektóre młodzieżowe ugrupowania „Szomer'' i „Hechaluc'' są tego samego zdania.

Od tego momentu następuje w pracy naszej reorganizacja. Cała praca nielegalna zostaje nastawiona tylko i wyłącznie na organizowanie ruchu oporu. Ze względów technicznych zostaje zreorganizowane prezydium C.K. partii (Abrasza, Berek, Marek). Wszystkie „piątki'' młodzieżowe otrzymują podstawowe przeszkolenie wojskowe. Wydaje się specjalne instrukcje. Zostaje opracowany plan działania w wypadku najścia Niemców na getto. Oczekujemy nadejścia transportu broni (100 rewolwerów, kilkadziesiąt karabinów i granatów), zapowiedzianego przez P.S.

Tymczasem szeregi nasze coraz bardziej przerzedzane są dalszymi egzekucjami. W okresie od 18 kwietnia do 22 lipca 1942 roku Niemcy mordują co noc około 10–15 osób. Nikt z naszych towarzyszy nie nocuje w domu. Jest jednak rzeczą bardzo trudną przewidzieć, kogo danej nocy poszukiwać będą Niemcy, gdyż stosują oni specjalną metodę w doborze swych ofiar. Pochodzą one mianowicie ze wszystkich warstw społecznych, a więc szmuglerzy, kupcy, robotnicy, inteligencja pracująca itd. Jest to robione zupełnie celowo, by tak zastraszyć ludność, żeby niezdolna była do żadnych samodzielnych porywów, żeby obawa przed śmiercią z rąk niemieckich paraliżowała jej najmniejsze odruchy sprzeciwu i kierowała ją na drogę bezwzględnego, biernego posłuszeństwa. Ale to rozumie tylko mała garstka. Ogół daremnie głowi się, o kogo właściwie chodzi i co ma na celu ta akcja.

Trudno jest dziś opowiedzieć, co się w owym czasie, poprzedzającym pierwszą akcję eksterminacyjną, działo w getcie. Sadyzm i bestialstwo Niemców są dziś znane na całym świecie. Wystarczy przytoczyć tylko kilka przykładów.

Troje dzieci siedziało rzędem przed szpitalem im. Bersonów i Baumanów. Przechodzący ulicą żandarm zabił całą trójkę.

Ciężarna kobieta potknęła się i upadła przechodząc przez jezdnię. Obecny przy tym Niemiec nie pozwolił jej wstać i zastrzelił leżącą.

Szmuglujący przez mury getta giną dziesiątkami. Żandarmeria niemiecka, przebrana w cywilne ubrania z żydowskimi opaskami, ze schowaną w workach bronią, poluje na moment, kiedy szmuglerzy wchodzą na mur. W tej samej chwili z worków błyskawicznie ukazują się automaty i los całej grupy jest przesądzony.

Na ulicę Orlą dzień w dzień zajeżdża mały Opel, z którego Niemcy wyrzucają związanego człowieka i rozstrzeliwują go natychmiast w pierwszej z brzegu bramie. To złapany po „aryjskiej stronie'' bez dokumentów — Żyd.

W połowie maja 1942 wykonana zostaje egzekucja 110 więźniów z tzw. Aresztu Centralnego („Gęsiówka''), zatrzymanych za bezprawne przejście na „aryjską stronę''. Jeden z naszych towarzyszy (Grylak) przypadkowo miał możność przyglądania się, gdy skazańców wyprowadzano z aresztu do specjalnych samochodów. Prawie wszyscy szli zupełnie biernie, gdy nagle jedna kobieta zdobyła się na odruch protestu i na stopniach samochodu krzyknęła Niemcom: „Ja zginę, ale was czeka gorsza śmierć!'' I znów specjalne ogłoszenia podpisane przez dr. Auerswalda donoszą gettu, że 110 przestępców zostało „przykładnie'' ukaranych.

W tym czasie następuje jedna z większych naszych „wsyp''. Zostaje „zasypane'' mieszkanie, w którym mieści się nasza drukarnia. Niemcom nie udaje się jednak nakryć nikogo, gdyż nasz wywiad wie o tym o 24 godziny wcześniej i zdąża w porę przenieść cały skład papieru, powielacz i maszyny w inne bezpieczne miejsce.

Z dnia na dzień zmienia się teraz nastrój getta. Dzień 18 kwietnia był dla getta dniem przełomowym. Do tego dnia, jakkolwiek źle było, czuli mieszkańcy getta, że byt ich i ich codzienność opiera się na czymś ustabilizowanym i trwałym. Że można układać budżet miesięczny, robić zapasy na zimę. Tego dnia nagle poczuli, że grunt usuwa się im spod nóg. Każda noc następna, pełna głuchych strzałów, mówi im wyraźnie, że getto nie ma podstaw, że żyje z łaski Niemców, że jest kruche i słabe, jak domek z kart. Wszyscy rozumieją, że getto zostanie zlikwidowane, ale nikt nie zdaje sobie sprawy z tego, że getto pójdzie na śmierć.

W połowie lipca 1942 roku zagęszcza się czarna chmura. Na pozór wszystko wygląda normalnie, krążą tylko „nieprawdopodobne'' pogłoski o przyjeździe „Umsiedlungskomando'', o tym, że zostanie z getta przesiedlonych 20, 40 lub 60 tysięcy mieszkańców, o tym, że wszystkich bezrobotnych wywiozą do prac fortyfikacyjnych, że w Warszawie pozostaną tylko pracujący. Pogłoski te, chociaż jeszcze „niewiarygodne'', wywołują już zaniepokojenie, a nawet panikę.

Ludzie masowo garną się do pracy, do fabryk, do instytucji społecznych, do urzędów. Przesiadujące dotąd w kawiarniach panie na gwałt przeobrażają się w spracowane szwaczki, cerowaczki, urzędniczki. Niektóre fabryki przyjmują do pracy tylko z własną maszyną krawiecką. Cena maszyn do szycia momentalnie skacze w górę. Ludzie płacą za dostanie miejsca przy warsztacie coraz skwapliwiej, coraz bardziej nerwowo, coraz więcej. O niczym innym nie mówi się, nie myśli. Wszyscy muszą pracować! ,,nieurządzeni'' — niespokojni, zdenerwowani czepiają się kurczowo najmniejszej możliwości pracy.

20 lipca rozpoczynają się aresztowania. Zostają osadzeni na Pawiaku prawie wszyscy lekarze szpitala ,,Czyste'', część zarządu Żydowskiej Samopomocy Społecznej, pewna ilość radnych gminy (m. in. J. Jaszuński).

Rozumiemy, że getto jest w przededniu likwidacji.

Dnia 22 lipca 1942 roku o godzinie 10-tej rano zajeżdżają przed dom Rady Żydowskiej niemieckie samochody. Umsiedlungsstab. Krótkie posiedzenie i przedstawiciele Judenratu wiedzą już, czego chcą Niemcy. Sprawa jest prosta. Wszyscy ,,nieproduktywni'' Żydzi zostaną przesiedleni na wschód. Po wyjściu Niemców — drugie wewnętrzne tajne posiedzenie. Żaden z radnych nie zastanawia się nad tym, czy zarządzenie to ma wykonać Rada Żydowska, żaden z radnych nie znajduje odpowiedzi na rzuconą przez obecnego na posiedzeniu sekretarza Rady Żydowskiej uwagę: ,,Panowie, nim przejdziecie do technicznego wykonania zarządzenia, zastanówcie się, czy w ogóle należy je wykonać''. Nad tym, czy wykonać zarządzenie, nie ma dyskusji. Omawia się stronę techniczną, układa się plan pracy.

Nazajutrz wielkie białe plakaty, podpisane przez Judenrat (podyktowane przez Oberscharfuehrera Hoefle), obwieszczają ludności żydowskiej, że wszyscy, z wyjątkiem pracujących u Niemców (dokładnie wyliczone placówki) oraz pracowników Rady Żydowskiej i Ż.S.S. *, muszą opuścić Warszawę. Wysiedlenie będzie przeprowadzała policja żydowska w porozumieniu z Umsiedlungs-stabem. W ten sposób Niemcy doprowadzili do tego, że Rada Żydowska sama wydała wyrok śmierci na przeszło 300.000 mieszkańców getta.

Pierwszego dnia akcji zostaje wywiezionych przeszło 2.000 więźniów z Aresztu Centralnego i kilka tysięcy złapanych na ulicy żebraków i nędzarzy.

Przed wieczorem odbywa się zebranie piątki naszych instruktorów, na którym postanawiamy, że wobec braku broni i możliwości oporu musimy naszą działalność częściowo nastawić również na ratowanie przed wysiedleniem jak największej ilości ludzi. Wydaje nam się, że umożliwią nam to kontakty posiadane przez niektóre organizacje społeczne w policji żydowskiej, w której rękach znajduje się techniczna strona wysiedlenia. Nim jednak zebranie zostało zakończone i praca podzielona, nadchodzi wiadomość, że sami Niemcy i Ukraińcy obstawili blok Muranowska — Niska, że sami przeprowadzają akcję i że zabrali stamtąd przeszło 2.000 ludzi, brakujących do kontyngentu dziennego, który w pierwszym okresie akcji wynosił 6.000 osób. Zostali zabrani wszyscy, nawet ci, którzy posiadali legitymacje niemieckich warsztatów pracy (z naszych towarzyszy zginął wówczas L. Rozensztajn). W takich warunkach cały dopiero co obmyślony plan okazuje się nierealny.

Drugiego dnia akcji, 23 lipca, odbywa się posiedzenie tzw. Komitetu Robotniczego, gdzie reprezentowane są wszystkie stronnictwa polityczne, i na którym my, popierani jedynie przez ,,Chaluców'' i ,,Szomrów'', zajmujemy stanowisko czynnego oporu. Niestety, cała opinia publiczna była przeciwko nam. Ogół uważa wystąpienie takie za prowokacyjne, przekonuje, że jeśli Żydzi spokojnie dostarczą wymaganego kontyngentu, reszta getta pozostanie na miejscu. Instynkt samozachowawczy kieruje powoli psychikę ludzi na drogę ratowania siebie, choćby za cenę innych. Nikt z nich nie wierzy jeszcze wprawdzie, że wysiedlenie — to śmierć. Ale Niemcom udało się już podzielić ludność żydowską na dwie części: jedną — skazaną na śmierć, drugą — mającą nadzieję utrzymania się przy życiu. I powoli, z czasem, potrafią Niemcy wygrać tak jedną część przeciwko drugiej, że dojdzie do tego, że Żydzi jedni drugich poprowadzą na śmierć, byle tylko uchronić swoje własne życie.

Przez pierwszych kilka dni ,,akcji'' bez przerwy obraduje Rada Partyjna (Orzech, Abrasza, Berek, Sonia, Bernard, Klog, Paw, Grylak, Mermelsztajn, Kersz, Wojland, Russ, Marek oraz towarzysz

---

z PS-u). Z godziny na godzinę oczekujemy przybycia broni, cała młodzież jest zmobilizowana. Przez trzy dni, dopóki nie znikły ostatnie nadzieje otrzymania broni, trwa stan ostrego pogotowia. Wszyscy nasi cukunftowcy i skifiści są zmobilizowani w kilku punktach i czekają rozkazu. Nastrój jest tak podniecony, że dochodzi do kilku bójek ulicznych z biorącą udział w akcji policją żydowską.

Drugiego dnia akcji popełnia samobójstwo prezes Rady Żydowskiej, inż. Adam Czerniaków. Wiedział on dokładnie, że rzekome przesiedlanie na wschód to śmierć setek tysięcy ludzi w komorach gazowych, i nie chciał być za to odpowiedzialny. Nie mając możliwości przeciwstawienia się temu, co się stało — wolał odejść. Uważaliśmy wówczas, że tak postąpić nie było mu wolno, że obowiązkiem jego, jako jedynej autorytatywnej osoby w getcie, było zawiadomić całą ludność żydowską o faktycznym stanie rzeczy i rozwiązać wszystkie instytucje, a w szczególności policję żydowską, która oficjalnie podlegała Radzie Żydowskiej i przez nią została stworzona.

Tego samego dnia ukazuje się pierwszy numer naszego wydawnictwa ,,Ojf der Wach'' (Na straży), który przestrzega ludność przed dobrowolnym zgłaszaniem się do wyjazdu i nawołuje do stawiania oporu. ,,W wielkiej naszej bezsilności — pisze towarzysz Orzech w artykule wstępnym — nie dajcie się złapać — brońcie się rękami i nogami''. Numer ten, wydany w potrójnym nakładzie, czwartego i piątego dnia akcji kolportowany jest przez Zośkę Goldblat, Marynkę Segalewicz i Cłuwę Kryształ--Nisenbaum.

Dla ostatecznego i konkretnego sprawdzenia, co się dzieje z transportami ludzi odchodzącymi z getta, wysłany zostaje na ,,aryjską stronę'' w ślad za transportem Załmen Frydrych (Zygmunt). Podróż jego na ,,wschód'' trwa bardzo krótko, gdyż zaledwie trzy dni. Od razu po wyjściu z murów getta wszedł on w kontakt z kolejarzem dworca gdańskiego, pracującym na linii Warszawa--Małkinia, i z nim odbył podróż w ślad za transportem. Dojechał do Sokołowa, gdzie, jak informowali miejscowi kolejarze, linia kolejowa rozdwaja się i jedna bocznica idzie w kierunku Treblinki. Jeździ tą linią codziennie jeden warszawski pociąg towarowy napełniony ludźmi i wraca pusty. Żadnego dowozu żywności nie ma. Dostęp do stacji Treblinka jest dla cywilów wzbroniony. Był to niezbity dowód, że ludzie zwożeni tam zostają straceni. Następnego dnia spotkał Zygmunt w Sokołowie na rynku dwóch nagich Żydów, uciekinierów z Treblinki. Ci już dokładnie opisali kaźń. Nie były to więc teraz żadne domysły, lecz stwierdzone przez naocznych świadków fakty (jednym z uciekinierów był nasz towarzysz Wałłach).

Po powrocie Zygmunta zostaje wydany drugi numer ,,Ojf der Wach'', w którym podany jest dokładny opis Treblinki. Ale i teraz Żydzi uparcie nie wierzą. Przed twardą prawdą zaciskają oczy, zatykają uszy, ,,bronią się rękami i nogami''.

A Niemcy, nie przebierając w środkach, stosują nowy chwyt propagandowy. Przyrzekają i dają każdemu ochotniczo zgłaszającemu się do wyjazdu 3 kg chleba i 1 kg marmolady. To wystarcza. Dalej już propaganda i głód robią swoje. Pierwsza daje do ręki niezbity argument przeciwko wszelkim ,,bajkom'' o komorach gazowych (,,bo po cóż by dawali chleb, gdyby chcieli mordować''), głód — jeszcze mocniejszy, przesłania wszystko obrazem trzech brązowych, wypieczonych bochenków. Ich smak już prawie wyczuwalny, bo przecież oddziela cię od nich tylko krótka droga z domu na ,,Umschlagplatz'', z którego odchodzą wagony, sprawia, że oczy przestają widzieć, co czeka na końcu drogi, ich zapach, znany, dobry, odurza, mąci myśl, która przestaje rozumieć to, co na pozór takie oczywiste. Zdarzają się dni, kiedy setki ludzi odchodzą z ,,Umschlagu'' i po kilka dni czekają na kolejkę na wyjazd. Tylu jest chętnych do otrzymania 3 kg chleba, że transporty odchodzące już teraz 2 razy dziennie z liczbą 12 tysięcy nie mogą ich pomieścić.

Pętla dookoła getta zaciska się coraz bardziej. W krótkim czasie zostaje oczyszczone i opróżnione z mieszkańców całe tzw. małe getto*. W ciągu 10 dni wszyscy ,,ochotnicy'', internaty (dzieci Korczaka) i punkty uchodźców zostają zabrane i zaczynają się systematyczne ,,blokady'' domów i ulic. Ludzie z plecakami uciekają z ulicy na ulicę, starają się ominąć przewidywany teren blokady. Zgodnie biorą w niej udział żandarmi, Ukraińcy i żydowska policja. Role są podzielone, składnie, porządnie: żandarmi otaczają ulicę, Ukraińcy przed nimi ciasnym łańcuchem oplatają domy, policja żydowska wchodzi na podwórza i zwołuje wszystkich mieszkańców. — ,,Wszyscy Żydzi schodzą na dół. 15 kg bagażu. Kto nie zejdzie, będzie rozstrzelany''... I jeszcze raz. Po kolei ze wszystkich klatek zbiegają ludzie. Nerwowo, w biegu narzucają na siebie, co się da. Niektórzy idą tak, jak stali,

---

28   * Okolice ulicy Twardej, Pańskiej itd.

czasem prosto z łóżek, inni mają na sobie wszystko, co możliwe, plecaki, tłumoki, garnki. Idąc rzucają trwożne spojrzenia wokoło. Stało się. Drżący ustawiają się w grupy przed domem. Usiłują zyskać sobie policjantów. Mówić nie wolno. Z następnych domów wychodzą takie same grupy drżących, zrozpaczonych ludzi i dołączają się do pierwszej. Żandarm karabinem kiwa na przypadkowego przechodnia, który za późno ostrzeżony, nie zdołał uciec z nieszczęsnej ulicy. Policjant żydowski, ciągnąc za rękaw czy kark, dołącza go do uformowanego przed domem szeregu. Jeżeli policjant jest przyzwoity, drugą ręką odbiera skreśloną w pośpiechu karteczkę z adresem rodziny. Zawiadomić... Opuszczone domy z przepisowo otwartymi drzwiami mieszkań szybko przebiegają Ukraińcy. Zamknięte — wywalają jednym kopnięciem ciężkiego buta, jednym uderzeniem kolby. Dwa, trzy strzały — to koniec z tymi, co nie zeszli na wezwanie, co pozostali w mieszkaniach. Blokada jest skończona.

Nie dopita herbata na czyimś stole stygnie powoli, nadgryziony kawałek chleba oblepiają muchy. Ludzie poruszający się poza obrębem blokady rozpaczliwie szukają swych bliskich wśród idących wolno jezdnią, obstawionych Ukraińcami i policją żydowską czworobocznych grup. Za nimi, jedne przy drugich, zmobilizowane „riksze" wiozą starców i dzieci.

Bo droga na Umschlag jest daleka. Plac „przesiedleńczy" — miejsce, z którego odchodzą wagony, mieści się na samym skraju getta, na ulicy Stawki. Otaczające go wysokie mury, pilnie strzeżone przez żandarmów, przerywają się w jednym tylko wąskim miejscu. Tym wejściem właśnie wprowadza się grupy bezradnych, bezsilnych ludzi. Wszyscy mają w ręku jakieś papiery, karty pracy, legitymacje. Stojący przy wejściu żandarm rzuca na nie okiem. „Rechts" — to znaczy życie. „Links" — to znaczy śmierć. Chociaż z góry wiadomo, że nie pomogą żadne perswazje, każdy próbuje wykazać swą nieodzowność dla niemieckiej produkcji, dla niemieckiego zwierzchnika i wyżebrać małe słówko „rechts". Ale żandarm nie słucha nawet. Czasem każe pokazywać ręce — wybiera wszystkie małe — rechts. Czasem odłącza blondynki — links. Rano wyróżnia niskich, wieczorem faworyzuje wysokich. Links, links, links...

Fala ludzka napływa, rośnie, zalewa cały plac, trzy duże, trzypiętrowe budynki poszkolne. Ludzi jest więcej, niż wymaga tego czterodniowy nawet kontyngent, ludzie są na „zapas". Po 4 — 5 dni czekają na załadowanie do wagonów. Ludzie wypełniają każdą wolną przestrzeń, cisną się do gmachów, biwakują w pustych salach, korytarzach, na schodach. Brudne, lepkie błoto zalewa podłogi. Wody w kranach nie ma, ubikacje są zatkane. Co krok noga grzęźnie w kale. Zapach potu i moczu dławi w gardle. Noce są zimne, w oknach nie ma szyb. Niektórzy mają na sobie tylko koszule nocne, szlafroki.

Drugiego dnia głód gryzie już żołądek bolesnymi skurczami, zeschnięte, popękane wargi męczą się bez kropli wody. Dawno już skończyły się czasy trzech bochenków chleba. Dzieci rozpalone, spocone, leżą bezsilnie w ramionach matek. Dorośli kurczą się w sobie, maleją, szarzeją.

Wszystkie oczy mają jeden wyraz. Dziki, obłędny strach, blada, bezsilna rozpacz, nagłe olśnienie, że za chwilę stanie się nieuniknienie to najgorsze, to nieprawdopodobne, to, w co do ostatniej chwili nie chciało się wierzyć. Dopiero tu, na tym natłoczonym placu pryskają złudzenia, dotąd pielęgnowane nadzieje, że właśnie ja uratuję się z ogólnej zagłady, że uchronię od niej najbliższych. Czarna zmora siada na piersiach, dławi gardło, wybałusza oczy, otwiera usta do bezdźwięcznego krzyku. Jakiś starzec czepia się gorączkowo, błagalnie, obcych, co są obok. Jakaś matka przytula do siebie trójkę dzieci w bezsilnej męce. Chciałoby się krzyczeć, ale nie ma do kogo, chciałoby się przekonywać i prosić, ale nie ma kogo, jest się samym, zupełnie samym w tym tysięcznym tłumie, a dziesięć, nie — sto, tysiąc karabinów ma się wymierzonych w pierś, a postacie Ukraińców rosną w oczach do rozmiarów wielkoludów i już nic się nie wie, o niczym się nie myśli, siada się tępo w kącie, w samo błoto i gnój mokrej podłogi. I coraz duszniej, coraz ciaśniej jest dookoła wcale nie od tych ciał stłoczonych, nie od smrodu i zaduchu sal, ale od nagłego poczucia, że wszystko stracone, że nic już zrobić nie można, że trzeba zginąć.

Możliwości wyjścia z Umschlagu istnieją, ale są kroplą w morzu wobec tysięcznego tłumu oczekującego ratunku. Niemcy sami stworzyli te możliwości, przenosząc do jednego z budynków szpitalik dziecięcy z „małego getta" i tworząc w swej złośliwości wobec skazanych na śmierć małe ambulatorium dla nagłych wypadków. Co dzień rano i wieczorem zmieniają się drużyny pracowników w białych fartuchach, z dowodami pracy w ręku. Wystarczy więc ubrać kogoś w biały fartuch, a łatwo już wyprowadzić go z ekipą pielęgniarek i lekarzy. Pielęgniarki biorą dzieci na ręce podając je za swoje. Gorzej jest ze starcami. Tych można tylko odesłać na cmentarz lub do szpitala dla dorosłych, na co znów, nie wiadomo dlaczego, pozwalają Niemcy. W karetkach pogotowia lub trumnach przemyca się więc żywych, zdrowych ludzi poza obręb Umschlagu. Niemcy zaczęli jednak sprawdzać karetki i stan zdrowia „chorych". Wobec tego, żeby dowód był namacalny, w małym pokoiku za ambulatorium, bez znieczulenia, na żywo, łamie się nogi owym wybranym starcom i staruszkom, którzy dzięki tej lub innej prośbie czy protekcji przeznaczeni zostają na chwilowe odroczenie śmierci.

Poza tymi sposobami „pomaga" też ludziom na własną rękę policja żydowska, biorąc „od głowy" za wyprowadzenie bajońskie sumy w pieniądzach, złocie, kosztownościach. Ci, których uratowano, a było ich przecież stosunkowo tak mało, wracają tu najczęściej po raz drugi i trzeci, by wreszcie zginąć w nieubłaganej głębi wagonów.

Niemniej jednak ludzie ratują się rozpaczliwie, czepiają się fartuchów przechodzących pielęgniarek, żebrząc o biały fartuch, dobijają się do drzwi szpitala, strzeżonych przez żydowskiego policjanta.

Jakiś ojciec błaga o wypuszczenie choć dziecka. Lekarz naczelny szpitala Bersonów i Baumów, dr Anna Braude-Heller, zabiera mu je z rąk i siłą, mimo oporu wartownika, wpycha do szpitala.

Bladą, nieprzytomną Helenę Szefner, przyprowadzoną z ostatniej blokady, wciągają tu również nasi towarzysze, by przy pierwszej okazji za legitymacją lekarską wypchnąć ją poza mury Umschlagu.

Wyprowadzany przez nas Janek Stróż zostaje zatrzymany przez policjanta żydowskiego. Wydaje się, że przepadł. Pod bokiem żandarmów terroryzujemy policjanta. Przepuścił.

Często zdarza się, że wyprowadzającemu nie tylko nie udaje się spełnić zamierzonego zadania, ale wpada sam, zagarnięty wraz z tłumem do wagonów. Tak zginął właśnie jeden z najdzielniejszych naszych ludzi, Samek Kostryński, przysłany na Umschlag po naszych towarzyszy.

Najważniejszą i najtrudniejszą rzeczą jest przetrwać na Umschlagu moment ładowania. Transporty odchodzą rano i wieczorem — dwa razy dziennie odbywa się ładowanie. Nieprzerwany łańcuch Ukraińców otacza plac i zagarnia tysięczny tłum. Padają strzały. Każdy jest celny. Nietrudno jest trafić, gdy ma się o krok od siebie skłębioną, zwartą masę, której każda cząstka — to żywy człowiek — cel. Coraz bliżej i bliżej gnają te strzały ku przygotowanym, bydlęcym wagonom. Mało! Jak oszalałe bestie pędzą Ukraińcy z powrotem przez pusty plac do gmachów. I tu zaczyna się dzika gonitwa. Nieprzytomny tłum pędzi na górne piętra, ciśnie się do drzwi szpitala, kryje się w ciemne dziury na strychu, byle wyżej i dalej od pogoni, może uda się przetrwać ten jeszcze transport, uratować jeszcze jeden dzień życia. Towarzysz Mendelson (Mendełe) przesiedział na strychu trzy dni. Kilka skifistek kryje się tam przez 5 dni, po czym udaje się nam wyprowadzić je stamtąd z grupą pielęgniarek.

Ukraińcy nie fatygują się zbytecznie. Ci, co nie zdołali uciec, wystarczą do zapełnienia wagonów. Ostatni moment — ostatnie zatykanie dziur — w jakiś nie dość nabity wagon wpycha się matkę, dziecko już się nie mieści, więc odrywa się je od wyjącej z męki i ładuje się dalej, w następny wagon. Bronisz się? Krótki strzał. Powoli, z trudem zasuwają się drzwi. Kolbami karabinów ubija się gęstą masę — tak jest pełno. Wreszcie. Pociąg rusza. Komory gazowe Treblinki otrzymują nowy żer.

W tym okresie straciliśmy prawie wszystkich naszych towarzyszy. Z przeszło 500 naszych członków pozostało zaledwie kilkudziesięciu. Istniejąca już w tym czasie „chalucowa" organizacja bojowa ma więcej szczęścia — zachowuje przypadkiem prawie wszystkich swoich członków. Przeprowadza więc kilka pożarów dywersyjnych i wykonuje zamach na żydowskiego komendanta policji, J. Szeryńskiego.

Tak na początku sierpnia 1942 r. zostają wywiezieni nasi najlepsi: S. Kostryński, I. Szpilberg, Pola Lipszyc, Cywia Waks, Mania Elenbogen, Kuba Zylberberg. Ginie Hanusia Waser z matką i Halinka Brandes z matką. Towarzysz Orzech, kilkakrotnie poszukiwany przez gestapo, musi uciekać na „aryjską stronę".

Dnia 13 sierpnia 1942 zostaje z fabryki W.C. Toebbensa zabrana Sonia Nowogródzka. Dziwnie się to jakoś złożyło. Dwa dni przedtem Sonia, wyglądając przez okno na powracających z pracy, mówi: „Moje miejsce jest nie tutaj. Zobaczcie, kto zostaje w getcie — to przecież kołtuństwo. Cały proletariat idzie czwórkami na Umschlag. Ja muszę z nimi pójść. Gdy ja z nimi będę, to nawet w ostatnich chwilach w wagonach i dalej będą czuć się ludźmi".

Pozostaje nas mała garstka. Robimy, co można, ale można bardzo mało. Chcemy za wszelką cenę ratować jeszcze to, co się da. Umieszczamy ludzi na niemieckich, jak się wówczas zdawało, najlepszych placówkach pracy. Powoli tracimy kontakt prawie z wszystkimi. Pozostaje tylko jedna większa grupa towarzyszy (20—25 osób) u „szczotkarzy" na Franciszkańskiej.

Jest to najtragiczniejszy nasz okres. Widzimy, że zostajemy bez organizacji. Że wszystko, cośmy pielęgnowali przez długie i ciężkie lata wojny — ginie w ogólnym kataklizmie. Że cały nasz trud i wysiłek idzie na marne. Jedynym człowiekiem, który potrafił w tym okresie ująć siebie w karby, był Abrasza Blum. To, że przetrwaliśmy te koszmarne chwile, zawdzięczamy właśnie jemu. Jego spokojowi i opanowaniu.

W połowie sierpnia, gdy w getcie pozostało już tylko 120.000 osób, odnosi się wrażenie, że pierwszy etap akcji jest skończony. Umsiedlungsstab wyjeżdża z Warszawy, nie pozostawiając żadnych instrukcji. Ale i tym razem są to próżne nadzieje. Okazuje się wkrótce, że Niemcy robią krótką przerwę i przez ten czas likwidują Otwock, Falenicę, Miedzeszyn. Wywiezione zostaje całe sanatorium im. Medema. Ginie męczeńską śmiercią Roza Eichner.

Po tej przerwie akcja zaczyna się ze wzmożoną siłą. Blokady są coraz groźniejsze dla nas, bo ludzi jest coraz mniej i teren jest coraz mniejszy i coraz trudniejszy dla Niemców, bo ludzie nauczyli się już kryć. Wobec tego każdy policjant żydowski zostaje zobowiązany do sprowadzenia na Umschlag 7 „łebków" dziennie. I oto wygrywają Niemcy swoją najlepszą grę. Nikt jeszcze nigdy tak zawzięcie nie przeprowadza akcji, jak Żyd policjant, nikt jeszcze nigdy tak nieustępliwie nie wypuszcza z rąk złapanego, jak jeden Żyd drugiego Żyda. Dla zdobycia 7 „łebków" zatrzymują policjanci żydowscy lekarza w białym fartuchu (fartuch sprzeda się później za drogie pieniądze na Umschlagu), matkę z dzieckiem na ręku lub samotne, zagubione dziecko, szukające domu.

Policja żydowska sama pisze swoją historię.

Dnia 6 września 1942 r. wszyscy pozostali przy życiu mieszkańcy getta zostają wezwani do stawienia się w obrębie ulic: Gęsiej, Zamenhofa, Lubeckiego, Stawki. Tu ma się odbyć ostateczna rejestracja.

Ze wszystkich stron ciągną czwórkami masy ludzi. Razem z innymi wszyscy nasi. Słyszymy, jak Ruta Perenson uspokaja małego Nika: „Masz się niczego nie bać. Za chwilę będzie się działo strasznie. Tu chcą nas wszystkich zabić. Ale my się nie damy. Będziemy bić tak mocno jak oni".

Tak się nie stało. W małym czworoboku ulic skupia się cała ludność getta: robotnicy fabryk, urzędnicy Rady Żydowskiej, służba zdrowia, pracownicy szpitali (chorzy odsyłani są bezpośrednio na Umschlag). Każdej firmie niemieckiej oraz Radzie Żydowskiej Niemcy przyznają określoną liczbę pracowników, którzy mogą pozostać. Tym wybrańcom rozdawane są numerki. Numerki oznaczają życie. Szanse są małe, ale to, że są, wystarcza, by znów całkowicie splątała się myśl ludzka, żeby znów cała uwaga skoncentrowała się wyłącznie na jednym, żeby wszystko, poza otrzymaniem numerka, przestało być ważne. Jedni walczą o niego głośno, z krzykiem dowodzą swych praw do życia, inni czekają wyroku w pełnej łez rezygnacji. W najwyższym napięciu przebiega ostatnia selekcja. Po 2-ch dniach, których każda godzina wydaje się rokiem, wybrani zostają pod eskortą wyprowadzeni do miejsc pracy, gdzie będą skoszarowani. Resztę odprowadzają Niemcy na Umschlagplatz. Na samym końcu przybywają tu rodziny policjantów.

To, co się dzieje na Umschlagu teraz, gdy ratunku już nie ma żadnego i znikąd, nie daje się ująć w najmocniejsze ludzkie słowa. Sprowadzeni już wcześniej chorzy, dorośli i dzieci ze szpitalika leżą opuszczeni w zimnych salach. Robią pod siebie i pozostają już tak w cuchnącej mazi moczu i kału. Pielęgniarki wyszukują w tym tłumie swoich ojców i matki i z dzikim jakimś błyskiem w oczach wstrzykują im dobrą, śmierć dającą morfinę. Czyjaś litościwa, lekarska ręka wlewa po kolei w rozpalone buzie obcych, chorych dzieci wodę z rozpuszczonym cjankiem. Należy jej się cześć — oddaje swój cjanek. Bo cjanek — to teraz skarb najdroższy, nieodkupiony. Cjanek oznacza cichą śmierć, ratuje przed wagonami.

W ten sposób w przeciągu 2 dni wywożą Niemcy 60.000 ludzi.

Z „kotła" zabierają naszych towarzyszy — Natana Liebeskinda, Dorę Kociołek, J. Gruszkę, Ankę Wołkowicz, Michelsona, Cływę Kryształ-Nisenbaum i wielu innych. Towarzysz Bernard, poszukiwany, musi ukryć się po „stronie aryjskiej".

Dnia 12 września akcja jest oficjalnie skończona. Nominalnie pozostaje w Warszawie 33.400 Żydów, pracujących w fabrykach i na placówkach niemieckich, w tym 3.000 urzędników Rady Żydowskiej. Faktycznie, łącznie z tymi, co zdołali ukryć się po piwnicach, jest około 60.000 ludzi. Wszyscy skoszarowani są przy miejscach pracy. Nowe mury dzielą getto, między poszczególnymi blokami ciągną się długie, opuszczone, bezludne tereny, strasząc martwą ciszą ulic, stukającymi na wietrze pustymi ramami pootwieranych okien i mdłym zapachem niepochowanych trupów.

Getto obejmuje teraz: 1. teren fabryk (shopów) Toebbensa, Schultza, Roehricha — ulice Leszno, Karmelicką, Nowolipki, Smoczą, Nowolipie, Żelazną do Leszna, 2. teren szczotkarzy — ulice Ś--to Jerską, Wałową, Franciszkańską, Bonifraterską do Ś-to Jerskiej i 3. teren getta centralnego — ulice Gęsią, Franciszkańską, Bonifraterską, Muranowską, Pokorną, Stawki, plac Parysowski, Smoczą do Gęsiej.

Komunikowanie się robotników jednego shopu z drugim jest zabronione. Niemcy wykorzystują do ostatnich granic darowane życia. 12 godzin dziennie (a czasem i dłużej) pracują Żydzi bez wytchnienia. Warunki tej pracy i warunki odżywiania się są katastrofalne. Tak jak w pierwszym okresie getta plagą był tyfus plamisty, tak teraz powszechnie panuje gruźlica.

Bogacą się jedynie śmieciarze i grabarze (,,pinkiertowcy''), przewożąc w trumnach i pod górami śmieci rzeczy i kosztowności, gettu już wtedy niepotrzebne, na ,,aryjską stronę'', gdzie wszelkimi sposobami starają się przedostać i urządzić mieszkańcy nękanej dzielnicy żydowskiej.

W początkach października 1942 r. odbywają się rozmowy między prezydium naszego C.K. a komendą chalucowej organizacji bojowej w sprawie stworzenia wspólnej organizacji. Sprawa ta, dość długo dyskutowana wśród naszych towarzyszy, została sfinalizowana na posiedzeniu warszawskiego aktywu partii dnia 15 października. Postanawiamy utworzyć wspólną organizację bojową w celu stawienia zbrojnego oporu Niemcom w wypadku powtórzenia się akcji eksterminacyjnej. Rozumiemy, że tylko skoordynowana praca i najwyższy wspólny wysiłek mogą dać jakiekolwiek efekty.

Około 20 października zostaje utworzona tzw. Komisja Koordynacyjna (K.K.), do której wchodzą przedstawiciele wszystkich istniejących żydowskich partii politycznych, z naszego ramienia — Abrasza Blum i Berek. Na tym samym posiedzeniu zostaje wyłoniona komenda Żydowskiej Organizacji Bojowej (Ż.O.B.). Komendantem zostaje Mordechaj Anielewicz (,,Szomer''). Z naszego ramienia do komendy wchodzi Marek. Przedstawicielstwo Komisji Koordynacyjnej po ,,stronie aryjskiej'' z naszego ramienia obejmuje dr L. Fajner (Mikołaj). Zostaje wyłonione również prezydium K.K. i komisja propagandowa, gdzie nas reprezentuje Abrasza.

Ponieważ getto jest podzielone na wiele bloków, prawie zupełnie nie kontaktujących się ze sobą, z konieczności Ż.O.B. musi podzielić swoją pracę na poszczególne tereny. My obejmujemy kierownictwo terenu szczotkarzy (Grylak), W.C. Toebbensa (Paw), Prosta (Kersz). Udaje nam się utworzyć kilka grup bojowych. Element — to przeważnie młodzi skifiści albo działacze Skifu. Tak więc w getcie centralnym dwie ,,piątki'' prowadzą B. Pelc i Goldsztajn, na terenie szczotkarzy — Jurek Błones i Janek Bilak, u Schultza — A. Fajner i N. Chmielnicki, u Roehricha — W. Rozowski.

Znów wybudowaliśmy, już nie sami, lecz wspólnym wysiłkiem, wielką organizację i znów stoimy przed zagadnieniem broni. Nie ma jej prawie w getcie. Należy pamiętać, że jest rok 1942 i że ruch oporu w społeczeństwie polskim jest jeszcze w powijakach, że o partyzantce krążą tylko legendy, że pierwsze zbrojne wystąpienie polskie ma miejsce dopiero w marcu 1943 roku. Nie należy więc dziwić się, że nasze starania o broń na terenie Delegatury Rządu i innych organizacji napotykają na duże trudności i przeważnie nie dają wyników. Ale udaje nam się otrzymać od Gwardii Ludowej kilka rewolwerów. Zostają wtedy wykonane w odstępie jednego miesiąca dwa zamachy: 29-go października na Lejkina (komendanta policji żydowskiej) i 29 listopada na J. Firsta (przedstawiciela Rady Żydowskiej do Umsiedlungsstabu).

Ż.O.B. zyskuje sobie pierwszą popularność. W dalszym ciągu przeprowadza jeszcze kilka akcji terrorystycznych na majstrach żydowskich, dających się najbardziej robotnikom we znaki. W jednej z takich akcji karnych na terenie Hallmana (shop stolarski) niemieccy Werkschutze łapią i osadzają w miejscowym areszcie trzech bojowców. W nocy grupa z terenu Roehricha pod dowództwem towarzysza G. Fryszdorfa rozbraja wartę niemiecką i uwalnia naszych więźniów.

Dla dokładniejszej orientacji w warunkach, w jakich wówczas pracujemy, chcę dodać, że gdzieś w połowie listopada (w okresie ,,spokoju'') nastąpiła wywózka kilkuset Żydów z różnych shopów rzekomo do robót w Konzentrations — Lager Lublin. Wtedy to właśnie tow. W. Rozowski wyłamał zakratowane okno wagonu towarowego, wyrzucił przez nie w biegu pociągu siedem dziewcząt (m. in. Gutę Błones, Chajkę Bełchatowską, Wiernik, M. Kojfman) i ostatni sam wyskoczył. Podobne czyny w czasie pierwszej akcji były jeszcze nie do pomyślenia. Jeśliby nawet w wagonie znalazł się śmiałek chcący uciekać, współtowarzysze nie pozwoliliby mu na to z obawy przed konsekwencjami dla pozostałych. Teraz Żydzi zaczynają wreszcie rozumieć, że wysiedlenie — to śmierć. Że nie ma dla nas innej rady, jak ginąć z honorem. Tylko że wciąż jeszcze (jak to już jest w naturze ludzkiej) wolą tę chwilę ginięcia i honoru odwlec jak najdalej.

W końcu grudnia 1942 r. otrzymujemy pierwszy transport broni od Dowództwa Armii Krajowej. Jest on bardzo mały. Zawiera zaledwie 10 pistoletów, ale pozwala nam wreszcie przygotować się do pierwszego większego wystąpienia. Planujemy je na 22 stycznia — ma to być akcja odwetowa na policji żydowskiej.

Ale już 18 stycznia 1943 r. getto zostaje zamknięte i zaczyna się druga akcja likwidacyjna. Tym razem nie udaje się jednak Niemcom bezkarnie przeprowadzić swoich planów. Cztery zabarykadowane grupy bojowe stawiają pierwszy zbrojny opór w getcie.

Ż.O.B. otrzymuje swój chrzest bojowy w pierwszej większej walce ulicznej na zbiegu Miłej i Zamenhofa. Tracimy tam kwiat naszej organizacji. Cudem tylko i dzięki swej bohaterskiej postawie uratował się komendant Ż.O.B. Mordechaj Anielewicz. Okazuje się, że walka uliczna jest dla nas zbyt kosztowna — nie jesteśmy do niej przygotowani. Nie mamy odpowiedniej broni. Przechodzimy do walki partyzanckiej. Dochodzi do 4-ch większych starć w domach — Zamenhofa 40, Muranowska 44, Miła 34, Franciszkańska 22. Na terenie shopu Schultza bojowcy organizują zamach na SS-owców. biorących udział w akcji. Bierze w nim czynny udział i ginie przy tym tow. A. Fajner.

Jedna z naszych grup bojowych, która jeszcze nie została zaopatrzona w broń, zostaje złapana przez Niemców i razem z całą placówką odprowadzona na Umschlag. Przed wejściem do wagonów B. Pelc wygłasza krótkie przemówienie. Ale słowa są mocne, słowa są takie, że z przeszło 60 osób nikt nie wchodzi do wagonu. Wszystkich 60 Van Oeppen (szef Treblinki) rozstrzeliwuje własnoręcznie na miejscu. Ta grupa pokazuje Żydom, że wszędzie i zawsze, w każdych warunkach można i należy przeciwstawić się Niemcom.

W akcji styczniowej z 50 przygotowanych grup bierze udział tylko pięć. Reszta, która nie była skoszarowana, została akcją zaskoczona i nie może dostać się do magazynów broni I znów, jak w pierwszej akcji, tak i teraz 4/5 Organizacji Bojowej zginęło.

To, co się stało, znajduje jednak olbrzymi oddźwięk zarówno w społeczeństwie polskim, jak i żydowskim. Bo oto po raz pierwszy niemieckie plany zostały pokrzyżowane. Po raz pierwszy rozpada się nimb nietykalnego, wszechmocnego Niemca. Po raz pierwszy społeczeństwo żydowskie przekonywa się, że można coś zrobić wbrew woli i sile niemieckiej. Nie ważne jest to, ilu Niemców padło pod strzałami Ż.O.B. Ważny jest moment psychologicznego przełomu. Ważne jest to, że Niemcy, ze względu na słaby co prawda, ale dla nich niespodziewany opór, musieli akcję przerwać.

W całej Warszawie krążą legendy o setkach zabitych Niemców. O wielkiej sile Ż.O.B. Cała Polska podziemna jest dla nas pełna uznania. W końcu stycznia otrzymujemy od dowództwa A.K. 50 dużych pistoletów i 50 granatów. Następuje wówczas reorganizacja Ż.O.B. Wszystkie grupy bojowe zostają podzielone na cztery tereny. My kierujemy terenem szczotkarzy (komendantem jest Marek), gdzie posiadamy m. in. naszą grupę bojową pod dowództwem Jurka Błonesa. Grupy bojowe mieszkają bezpośrednio w pobliżu swoich punktów operacyjnych. Skoszarowanie to ma na celu niedopuszczenie do ponownego zaskoczenia akcją niemiecką i przyzwyczajenie ludzi do wojskowego ducha, do wojskowego rygoru, do stałej styczności z bronią.

W pobliżu murów getta dzień i noc czuwają warty mające w porę zawiadomić o nadchodzącym niebezpieczeństwie. Tymczasem niemiecka propaganda działa, stara się znów otumanić Żydów, tworząc legendę o rezerwatach żydowskich w Trawnikach i Poniatowie, gdzie mają jakoby zostać przeniesione fabryki Toebbensa i Schultza i gdzie ,,produktywni Żydzi, pracując z oddaniem dla Niemców, będą mogli spokojnie przeżyć wojnę''. Na początku lutego Niemcy przywożą z K.L. Lublin 12 Vorarbeiterów — Żydów w celu agitowania ludności getta do dobrowolnego wyjazdu na ,,wspaniałych'' warunkach pracy. Następnej nocy po ich przyjeździe Ż.O.B. obstawia dom, w którym mieszkają, i zmusza ich do natychmiastowego wyjazdu. Ale Niemcy nie dają za wygraną. Komisarzem wysiedleńczym mianują W. C. Toebbensa — właściciela największej fabryki mundurów wojskowych w getcie. Ma to na celu stworzenie dalszych pozorów, że wyjazd do Trawnik lub Poniatowa jest ściśle związany z pracą w przedsiębiorstwach niemieckich.

Ż.O.B. prowadzi szeroko zakrojoną akcję propagandową. Wydaje kilka odezw, które plakatuje na domach i murach getta. Toebbens w odpowiedzi na to szykuje odezwę do ludności żydowskiej, lecz obydwa nakłady jej zostają przez Ż.O.B. skonfiskowane jeszcze w drukarni.

W tym okresie Ż.O.B. panuje już niepodzielnie w getcie. Jest jedyną siłą i władzą, która ma autorytet i z którą liczy się społeczeństwo.

Gdy w końcu lutego 1943 r. Niemcy wzywają do wyjazdu shop stolarski Hallmana, z przeszło 1000 robotników zgłasza się 25. W nocy dwie grupy bojowe śmiałym wypadem podpalają magazyny shopu (w akcji bierze udział tow. Fryszdorf). Szkody wyrządzone Niemcom wynoszą przeszło 1.000.000 złotych. Cała dobrze obmyślona akcja niemiecka spala na panewce. Nazajutrz Niemcy wydają komunikat o rzekomych skoczkach spadochronowych, którzy dokonali akcji dywersyjnej. Ale i tak cała ludność żydowska dokładnie wie, kto jest sprawcą tej dywersji i przed kim skapitulowali Niemcy.

Gdy na początku marca Niemcy znów wzywają do wyjazdu shop szczotkarzy, z trzech i pół tysiąca ludzi nie zgłasza się nikt. Ż.O.B. przeprowadza bezkompromisowo wszystkie swoje plany. Transport maszyn szczotkarskich, załadowanych do wagonów na Umschlagplatzu, zostaje spalony w drodze za pomocą specjalnie w tym celu spreparowanych butelek zapalających z opóźnionym zapalnikiem.

Niemcy czują się w getcie coraz gorzej, coraz wyraźniej wyczuwają wrogą postawę nie tylko grup bojowych, lecz całej ludności, która bez wahania wykonuje wszystkie rozkazy Komendy Ż.O.B. Ż.O.B. rozwija działalność w całej pełni, organizacja jest utrzymywana przez całe getto. Piekarze i kupcy dostarczają kontyngentu żywności. Na bogatych mieszkańców zostają nakładane specjalne podatki, które są przeznaczone na zakup broni. Ż.O.B. nakłada kontrybucje na instytucje Gminy. Rygor jest taki, że każdy dać musi. Kto nie daje dobrowolnie — daje pod presją. Rada Żydowska płaci 250.000 złotych. Zakład Zaopatrywania 710.000 zł. Wpływy pieniężne w ciągu trzech miesięcy wynoszą około 10 milionów złotych. Zostają one przesłane na ,,stronę aryjską'', gdzie przedstawiciele nasi organizują zakup broni i materiałów wybuchowych.

Broń przychodzi tak, jak wszelki inny przemyt. Przekupieni policjanci polscy zamykają oczy na przerzucane przez mur ciężkie paczki, które po drugiej stronie momentalnie zbierają łącznicy Ż.O.B. Wartująca tu policja żydowska nie ma nic do gadania. Najczynniejszymi naszymi łącznikami ze ,,stroną aryjską'' byli — Zygmunt Frydrych (organizacja pierwszego transportu broni), Michał Klepfisz, Celemeński, Fajgełe Peltel (Władka) i wielu innych. Michał Klepfisz w porozumieniu z P.S. i W.R.N. organizuje na dużą skalę zakup materiałów wybuchowych i zapalających (np. 2.000 litrów benzyny), a następnie po przetransportowaniu ich do getta zakłada tu fabrykę granatów i butelek zapalających (,,koktajl Mołotowa''). Pomimo że produkcja jest prymitywna i prosta, to jednak wielka ilość produkowanej broni wzmacnia znacznie siłę ogniową naszych oddziałów. Na każdego z bojowców przypada przeciętnie po jednym rewolwerze (10–15 nabojów), 4–5 granatów, 4–5 butelek zapalających. Na każdy teren 2–3 karabiny. W całym getcie jest 1 pistolet automatyczny. Ż.O.B. przeprowadza teraz akcję oczyszczenia społeczeństwa żydowskiego z wrogich elementów i kompromitujących, zaprzedanych Niemcom dusz. Zostają wykonane wyroki śmierci, wydane przez Komendę na prawie wszystkich gestapowcach żydowskich. Ci, których nie dosięgła sprawiedliwość z naszych rąk, zbiegli ukradkiem na ,,aryjską stronę''. Do getta nikt z nich nie odważył się przyjść. Gdy raz czterech gestapowców zjawia się przypadkiem na pół godziny w getcie — trzech z nich zostaje zabitych, a jeden ciężko ranny. Ginie także znany gestapowiec dr. Alfred Nosig, przy którym znaleziono legitymację Gestapo z 1933 roku.

W pierwszych dniach kwietnia na posiedzeniu Komendy Ż.O.B. postanawiamy rozszerzyć naszą działalność na całą Gen. Gub. Zostaje wyłoniona specjalna komisja. C. K. Bundu mianuje Komitet po ,,stronie aryjskiej'': M. Orzech, Dr. L. Fajner, Bernard, S. Fiszgrund, Celemeński, Samsonowicz. Niemcy widocznie dochodzą do wniosku, że dobrowolnie Żydzi z warszawskiego getta nie wyjadą. Zaczynają się znów łapanki. Niemieccy ,,werkschutze'' osadzają na Wachstubie kilkudziesięciu Żydów, zatrzymanych na ulicach getta za drobne przewinienia. Mają oni nazajutrz być odtransportowani do obozu w Poniatowie. Komenda Ż.O.B. jest jednak innego zdania. O godz. 5-ej min. 30 przed wieczorem uzbrojona grupa Ż.O.B. dostaje się na Wachstubę, terroryzuje pełniących służbę policjantów i zwalnia wszystkich zatrzymanych. Dzieje się to tuż pod drzwiami warty niemieckiej, która boi się interweniować. Wobec tego Niemcy próbują innego sposobu. Zatrzymanych ładują na samochody i wywożą od razu na Umschlag. Ale Ż.O.B. działa jeszcze szybciej. Na terenach między poszczególnymi blokami (tzw. międzygetto) zostają ustawione grupy bojowe, które odbijają zatrzymanych.

W okresie poprzedzającym bezpośrednio ostatnią akcję eksterminacyjną Bund posiada cztery skoszarowane grupy bojowe: 1. na terenie szczotkarzy pod dowództwem Jurka Błonesa, 2. na terenie fabryk Schultza pod dowództwem W. Rozowskiego, 3. na terenie getta centralnego dwie grupy pod dowództwem L. Gruzalca i Dawida Hochberga. Grupy składają się wyłącznie ze skifistów i działaczy Skifu.

Niemcy postanowili za wszelką cenę zlikwidować getto warszawskie. Dnia 19 kwietnia 1943 roku o godz. 2-ej w nocy nadchodzą pierwsze meldunki od naszych wysuniętych czujek, że niemiecka żandarmeria i polska policja granatowa obstawiają w odstępach 25-metrowych zewnętrzne mury getta. Natychmiast zaalarmowano wszystkie grupy bojowe, które o godz. 2 min. 15, to znaczy 15 minut później, zajęły swoje stanowiska bojowe. Zaalarmowana przez nas cała ludność cywilna udaje się natychmiast do przygotowanych schronów i schowków w piwnicach i na strychach. Getto jest wymarłe — nigdzie żywej duszy, czuwa tylko Ż.O.B.

O godz. 4-ej nad ranem Niemcy w małych grupach po trzech, czterech, pięciu (by nie wzbudzić czujności Ż.O.B. i ludności) zaczynają wkraczać na tereny międzygetta. Tam się dopiero formują, ustawiają w plutony i kompanie. O godz. 7-ej rano wkraczają na teren getta wojska zmotoryzowane, czołgi i samochody pancerne. Na zewnątrz Niemcy ustawiają artylerię. SS-mani są już teraz gotowi do ataku. Sprężystym, donośnym krokiem w zwartych szeregach wkraczają w jakby wymarłe ulice getta centralnego. Wygląda na pozór tak, jakby ich triumf był kompletny, jakby garstka śmiałków ulękła się tej wyśmienicie uzbrojonej i wyposażonej, nowoczesnej armii. Jakby nagle ci niedorośli chłopcy zrozumieli, że nie ma celu porywać się z motyką na słońce. Że na każdy ich pistolet przypada więcej kaemów niemieckich, niż oni mają do niego naboi.

Ale nie, myśmy się nie przestraszyli i nie byliśmy zaskoczeni. Czekaliśmy tylko odpowiedniego momentu. Nastąpił wkrótce. Gdy Niemcy rozłożyli się u zbiegu Miłej i Zamenhofa obozem, zabarykadowane w czterech rogach ulicy grupy bojowe otworzyły, jak to się mówi w terminologii wojskowej, koncentryczny ogień. Wybuchły pociski z nieznanej broni (to granaty naszej własnej produkcji), serie z pistoletu automatycznego pruły powietrze (trzeba oszczędzać amunicję), gdzieś dalej szczękały karabiny. Tak to się rozpoczęło.

Niemcy próbują uciekać, ale droga jest zamknięta. Na ulicy pełno trupów niemieckich. Ocaleli jeszcze szukają osłony w pobliskich sklepach i bramach. Ale schronienie okazuje się niedostateczne. ,,Bohaterscy'' SS-mani wprowadzają więc do akcji czołgi, pod osłoną których niedobitki 2-ch kompanii mają rozpocząć ,,zwycięski'' odwrót. Ale i te nie mają zbyt wielkiego szczęścia. Pierwszy czołg spłonął od wybuchu naszej butelki zapalającej, pozostałe nie zbliżają się do naszych pozycji. Los Niemców zamkniętych w ,,kotle'' Miła — Zamenhofa jest przesądzony. Ani jeden nie wyszedł stąd żywy. Walczyły tu grupy bojowe Gruzalca (z Bundu), Merdka (z Szomru), Hochberga (z Bundu), Berka (z Droru), Pawła (z P.P.R.).

Jednocześnie trwa drugi bój u zbiegu Nalewek i Gęsiej. Dwie grupy bojowe nie dopuszczają tu Niemców na teren getta. Walka trwa przeszło 7 godzin. Niemcy budują sobie barykady z przygodnie znalezionych materaców, jednak pod gęstym obstrzałem bojowców muszą się kilkakrotnie wycofywać. Ulica tonie we krwi niemieckiej. Co chwila niemieckie ambulanse odwożą swoich rannych do punktu zbornego na placyk przed gminą. Tam leżą oni pokotem na chodniku, czekając na kolejkę dostania się do szpitala. Na rogu Gęsiej znajduje się niemiecki punkt obserwacyjny dla lotnictwa, który sygnalizuje samolotom, krążącym bezustannie nad gettem, w którym miejscu znajdują się bojowcy i gdzie należy bombardować. Ale bojowców ani na ziemi, ani z powietrza zgnębić nie można. Walka na rogu Gęsiej i Nalewek kończy się całkowitym wycofaniem Niemców.

W tym samym czasie trwają zacięte boje na placu Muranowskim. Niemcy atakują tu ze wszystkich stron. Osaczeni bojowcy bronią się zawzięcie, w nadludzkich zmaganiach odpierają natarcia. Zostają zdobyte dwa kaemy i wiele innej broni. Zostaje spalony czołg niemiecki. Jest to już drugi tego dnia.

O godz. 2-ej po poł. nie ma już na terenie getta ani jednego Niemca. Jest to pierwsze kompletne zwycięstwo Ż.O.B. nad Niemcami. Reszta dnia przechodzi w ,,zupełnym spokoju'', tzn. trwa tylko obstrzał artyleryjski (artyleria ustawiona jest na placu Krasińskich) i od czasu do czasu bombardowanie z powietrza.

Następnego dnia do godz. 2-ej po południu — cisza. Dopiero teraz Niemcy podchodzą znów zwartym oddziałem pod bramę szczotkarzy. Nie wiedzą, że w tym samym momencie obserwator bierze do ręki wtyczkę od kontaktu elektrycznego. Werkschutz niemiecki podchodzi do bramy, chce ją otworzyć. Dokładnie w tej samej chwili wtyczka zostaje włączona. Pod nogami SS-owców rozrywa się czekająca na nich od dawna mina. Przeszło 100 SS-manów ginie od wybuchu — reszta wycofuje się odprowadzona strzałami naszych bojowców. Dopiero po 2-ch godzinach Niemcy powtórnie próbują szczęścia. Teraz już inaczej, ostrożnie, gęsiego, w szyku bojowym starają się przedostać na teren szczotkarzy. Ale tu po raz drugi doznają odpowiedniego przyjęcia przez czekającą na nich grupę bojową. Z 30 Niemców, którzy dostali się na teren, wydostaje się z powrotem zaledwie kilku. Reszta ginie od wybuchu granatów i butelek zapalających. I znów wycofują się Niemcy z getta. I znów bojowcy święcą swoje drugie kompletne zwycięstwo.

Niemcy nie dają jednak za wygraną i starają się jeszcze z kilku stron dostać na teren. Wszędzie napotykają na zdecydowany opór. Walczy każdy dom.

Na jednym ze strychów jesteśmy nagle osaczeni. Tuż obok na tym samym strychu są Niemcy. Nie sposób przedostać się na schody. W ciemnych zakamarkach nie widzimy się nawzajem. Nie widzimy, że Sewek Duński i Junghajzer przeczołgują się z dołu na strych po schodach, że zachodzą Niemców od tyłu i rzucają granat. Nie zauważamy nawet, jak to się dzieje, że Michał Klepfisz wyskakuje wprost na walący zza komina niemiecki automat. Widzimy tylko, że droga jest wolna. Kiedy po kilku godzinach (gdy Niemcy zostali już wyparci), znajdujemy jego ciało, jest podziurawione jak sito dwiema seriami z automatu.

Teren szczotkarzy jest nie do opanowania.

Następuje teraz coś, co się jeszcze dotąd nie zdarzyło. Trzech oficerów zbliża się z opuszczonymi automatami, z białymi kokardami w klapach. Są parlamentariuszami. Chcą prowadzić pertraktacje z Komendą terenu. Proponują 15-to minutowe zawieszenie broni w celu wycofania rannych i zabitych. Gotowi są przyrzec wszystkim mieszkańcom spokojne przeniesienie się do obozów pracy w Poniatowie i Trawnikach wraz z całym dobytkiem.

Odpowiedzią są strzały. Każdy dom to wroga twierdza, z każdego piętra, z każdego okna sypią się kule na nienawistne niemieckie hełmy, w nienawistne niemieckie piersi.

Na czwartym piętrze w małym okienku stoi stary wojak Diament. Ma długi karabin pamiętający wojnę rosyjsko-japońską. Diament jest flegmatykiem, rusza się powoli. Chłopcy w pobliżu niecierpliwią się, przynaglają. Ale Diament jest niewzruszony: mierzy w brzuch, a trafia w pierś. Każdy strzał — to jeden Niemiec.

Na drugim piętrze stoi w oknie Dwora. Zawzięcie strzela. Niemcy zauważyli ją. ,,Schau, Hans, eine Frau schiesst''. Starają się zestrzelić. Ale jakoś kule ją mijają. Za to ona dopiekła im widać dobrze, bo wycofują się dziwnie szybko.

Na pierwszym piętrze na klatce schodowej (pozycja Nr. 1) stoi Szlamek Szuster z Kazikiem. Wyrzucają jeden granat za drugim. Po chwili braknie już granatów, a na podwórzu miota się jeszcze dwóch Niemców. Szlamek łapie butelkę zapalającą i tak dokładnie trafia w hełm Niemca, że ten staje w płomieniach i ginie w dzikich męczarniach.

Postawa bojowców jest tak zdecydowana, że Niemcy zmuszeni są w końcu zrezygnować ze zgnębienia ich orężem i znajdują nowy, niezawodny, zda się, sposób. Podpalają teren szczotkarzy od zewnątrz ze wszystkich stron. W jednej chwili płomień obejmuje cały blok, czarny dym dusi w gardłach, wygryza oczy. Bojowcy nie mają zamiaru ginąć żywcem w płomieniach. Stawiamy wszystko na jedną kartę i postanawiamy za wszelką cenę przedostać się do getta centralnego.

Płomienie czepiają się po drodze ubrań, które zaczynają się tlić. Asfalt topi się pod nogami w czarną, lepką maź. Rozsypane wszędzie szkło zamienia się w ciągnącą, lejącą maź, do której przylepiają się nogi idących. Od żaru rozpalonego bruku zapalają się podeszwy. Jeden za drugim brniemy przez płomienie. Z domu do domu, z podwórza na podwórze. Nie ma czym odetchnąć, w głowach wali sto młotów. Palące się belki spadają na głowy. Wreszcie wydostajemy się poza sferę ognia. Szczęściem jest stać w miejscu, gdzie się nie pali.

Pozostaje teraz najtrudniejsze. Do getta centralnego dostać się można jedynie przez mały wyłom w murze z trzech stron obstawiony przez żandarmerię, Ukraińców i policję granatową. Dwumetro- wego przejścia pilnuje 12 osób. Tędy to właśnie przebić się ma pięć grup bojowych. Jedne po drugich, w butach obwiązanych szmatami dla stłumienia kroków, pod gęstym obstrzałem, w najwyższym napięciu przedzierają się grupy Gutmana, Berlińskiego, Grynbauma. Przeszli. Grupa Jurka Błonesa kryje od tyłu. W momencie kiedy pierwsi z tej grupy wychodzą na ulicę, Niemcy oświetlają to miejsce. Wydaje się, że nikt więcej nie przejdzie. Romanowicz jednym strzałem gasi reflektor. Nim Niemcy zdążyli zorientować się, wszyscy byliśmy po drugiej stronie.

Tu połączywszy się z tutejszymi grupami bojowymi — działamy dalej. Poruszanie się po tym terenie jest również prawie niemożliwe. Olbrzymie pożary zamykają często całe ulice. Morze płomieni zalewa domy, podwórza. Z trzaskiem palą się drewniane stropy, sypią się mury. Powietrza nie ma. Jest tylko czarny, gryzący dym i ciężki, parzący żar. Żar bije od rozpalonych murów, od rozgrzanych do czerwoności nie palących się schodów.

To, czego nie mogli zrobić Niemcy, robi teraz wszechmocny ogień. Tysiące ludzi ginie w płomieniach. Swąd palących się ciał dusi oddech. Na balkonach domów, na framugach okiennych, na nie spalonych kamiennych schodach leżą zwęglone trupy. Ogień wypędza ludzi ze schronów, każe im uciekać z od dawna przygotowanych bezpiecznych skrytek strychów i piwnic. Tysiące wałęsają się po podwórzach, w każdej sekundzie narażając się na złapanie, uwięzienie, lub bezpośrednią śmierć z rąk niemieckich. Śmiertelnie zmęczeni zasypiają w bramach, na stojąco, leżąco, siedząco i tak we śnie trafia ich celna niemiecka kula. Nikt nie spostrzega nawet, że śpiący w bramie na ziemi starzec nie potrafi się już obudzić, że karmiąca niemowlę matka już od trzech dni jest zimnym trupem, a dziecko płacze daremnie w tych trupich ramionach i ssie daremnie trupią, martwą pierś. Setki ludzi kończą życie, skacząc z 3-go czy 4-go piętra. Matki w ten sposób ratują dzieci przed spaleniem żywcem. Ludność polska widzi to z ulicy Ś-to Jerskiej i placu Krasińskich.

Po tak przykładnym ukaraniu getta centralnego i terenu szczotkarzy zdawało się Niemcom, że inne shopy wyjadą dobrowolnie. Dlatego też dają termin stawienia się na punktach zbornych — w przeciwnym razie grożąc dopiero co pokazanymi represjami. Ale ani prośbą, ani groźbą nie udaje się do tego zmusić ludności.

Wszędzie bojowcy są na posterunkach. Na terenie Toebbensa i Schultza starają się w pierwszym rzędzie przeszkodzić Niemcom w regularnym doprowadzeniu wojsk do getta centralnego. Z balkonów, okien, dachów obrzucają granatami i ostrzeliwują samochody z SS-manami. Raz nawet udaje się rozbić samochód pędzący po „stronie aryjskiej". Któregoś dnia Rozowski i Szlomo w czasie jednej z inspekcji terenu zauważyli zbliżający się wóz. Chwila zastanowienia — i obaj znaleźli się na balkonie. W tej chwili rzucają dwukilogramową bombę prochową w sam środek samochodu. Z 60 SS-owców uchodzi z życiem zaledwie pięciu.

Gdy 5-go dnia akcji mija termin dobrowolnego wyjazdu i Niemcy przystępują do „pacyfikacji" tych terenów — napotykają zdecydowany opór. Niestety, nie można tu wykorzystać przygotowanych min, gdyż w całym getcie nie ma już prądu. Następują ciężkie zmagania. Bojowcy, zabarykadowani w domach, nie dopuszczają Niemców na teren. I tu walczy każdy dom. Szczególnie zacięte są walki w domach: Nowolipki 41, Nowolipie 64, Nowolipie 67, Leszno 72, Leszno 56.

Na Lesznie 56 Jurek zaskoczony na czujce. Otacza go grupa SS-owców. Rzucają w niego granatem. Jurek lekko łapie granat w powietrzu i w porę, nim się rozerwie — rzuca go w SS-owców. Czterech zginęło.

Szlomo — zastępca komendanta terenu, ranny w rękę, osłania odwrót z domu Nowolipie 72. Nagle wszystko stracone, na wszystko za późno. Są osaczeni. Szlomo szybko zdejmuje prześcieradło z łóżka i po nim spuszcza na podwórze wszystkich. Jego nie ma kto przytrzymać. Skacze więc szybko z pierwszego piętra.

I na tym terenie „ratują" Niemcy swój honor wojskowy, zaczynając palić dom za domem.

Wobec tak zmienionych warunków Ż.O.B. zmienia swoją taktykę. Stara się ochronić większe skupienia ukrytych w bunkrach ludzi przed nadejściem Niemców. Tak np. dwa oddziały Ż.O.B. (Hochberga i Berka) z zasypanego schronu przy ul. Miłej 37 przeprowadzają w jasny dzień kilkaset osób na Miłą 7. Tę pozycję, gdzie ukrywa się kilka tysięcy osób, udaje się utrzymać przeszło tydzień. Tymczasem palenie getta dobiega końca. Zupełnie już brak pomieszczeń, a co gorsze — wody. Wraz z ludnością cywilną schodzą do schronów bojowcy. Tam dalej bronić będą jeszcze tego, co się da uchronić.

Walki i potyczki odbywają się teraz przeważnie w nocy. W dzień getto jest zupełnie wymarłe. Dopiero na zupełnie ciemnych ulicach spotykają się patrole Ż.O.B. z patrolami niemieckimi. Kto pierwszy zdąży wystrzelić — ten jest wygrany. Patrole nasze przemierzają całe getto. Co noc pada wielu zabitych z obu stron. Niemcy i Ukraińcy patrolują tylko większymi grupami, często urządzają zasadzki.

Dnia 1-go Maja Komenda postanawia przeprowadzić specjalną akcję „świąteczną". Kilka grup bojowych wychodzi w teren z zadaniem „upolowania" jak największej ilości Niemców. Wieczorem odbywa się apel 1-o Majowy. Krótkie przemówienie i „Międzynarodówka". Cały świat obchodzi dziś święto. Na całym świecie w tej samej chwili padają krótkie, mocne słowa. Ale nigdy jeszcze nie była śpiewana „Międzynarodówka" w tak odmiennych, tragicznych warunkach, gdzie ginął i ginie naród. Słowa te i ten śpiew odbijają się od spalonych ruin, świadcząc tym razem, że w getcie walczy młodzież socjalistyczna, która nawet w obliczu śmierci o tym nie zapomina.

Sytuacja bojowców staje się coraz cięższa. Brak im już nie tylko wody i żywności, ale i amunicji. Żadnego kontaktu ze „stroną aryjską" nie mamy, nie można więc przetransportować broni, którą już w czasie walk otrzymujemy po „stronie aryjskiej" od Armii Ludowej (20 karabinów, amunicja). Niemcy starają się teraz aparatami podsłuchowymi i psami policyjnymi wykryć wszystkie schrony, w których znajdują się Żydzi. Tak 3-go Maja Niemcy wykrywają schron na Franciszkańskiej 30, gdzie znajduje się baza operacyjna naszych grup bojowych, które przebiły się tu z terenu szczotkarzy. Bojowcy staczają jedną z najpiękniejszych technicznie walk. Trwają one dwa dni i ginie w nich 50% naszych ludzi. Od wybuchu granatu pada Berek. W najcięższych chwilach, gdy wszystko już prawie stracone, podtrzymuje na duchu Abrasza. Sam nie walczy, ale obecność jego znaczy dla nas więcej i więcej dodaje siły, niż świadomość posiadania najlepszej broni. Trudno mówić o zwycięstwie, gdy się walczy w obronie życia i gdy traci się tylu ludzi — ale jedno możemy o tej bitwie powiedzieć — nie pozwoliliśmy Niemcom przeprowadzić ich planu. Nie wywieźli nikogo żywcem.

Dnia 8-go maja zostaje przez oddziały Niemców i Ukraińców okrążona Komenda Główna Ż.O.B. Dwie godziny trwają zacięte walki. Gdy Niemcy widzą, że w boju nie uda się im zdobyć bunkra, wrzucają do wnętrza bombę gazową. Kto nie zginął od kuli niemieckiej, kto nie został zatruty gazem, ten popełnia samobójstwo. Jasnym jest, że stąd wyjścia nie ma, a nikomu nie wpada nawet na myśl oddawać się żywcem w ręce niemieckie. Jurek Wilner wzywa wszystkich bojowców do zbiorowego samobójstwa. Lutek Rotblat zastrzelił matkę i siostrę, a następnie siebie. Ruth strzelała do siebie 7 razy.

W ten sposób ginie znów 80% pozostałych bojowców, a wśród nich Komendant Ż.O.B. Mordechaj Anielewicz.

Ocalałe cudem resztki w nocy połączyły się z niedobitkami oddziałów szczotkarzy, które teraz znajdowały się na Franciszkańskiej 22.

Tej nocy właśnie przychodzi dwóch naszych łączników (S. Ratajzer — „Kazik" i Franek) ze „strony aryjskiej".

Dziesięć dni temu wysłała Komenda Ż.O.B. Kazika i Zygmunta Frydrycha do ówczesnego przedstawiciela naszego po „stronie aryjskiej" — Icchaka Cukiermana — „Antka" w celu zorganizowania odwrotu kanałami.

Niestety jest już za późno. Ż.O.B. prawie nie istnieje, ale nawet i tych resztek, które ocalały, nie można było wyprowadzić z getta za jednym razem. Droga kanałami trwa całą noc. W kanałach napotykamy wciąż na zasieki, które porobili tu przewidujący Niemcy. Włazy pozasypywane są gruzem. W przejściach wiszą granaty, które przy dotknięciu natychmiast wybuchają. Co pewien czas Niemcy wpuszczają gaz trujący. W tych warunkach w kanale wysokim na 70 cm, gdzie nie można się wyprostować, a woda sięga do ust, czekamy 48 godzin na wyjście. Co chwila ktoś mdleje. Najbardziej męczy pragnienie. Niektórzy piją gęstą, szlamowatą wodę kanału. Sekundy trwają miesiące.

10-go maja o godzinie 10-ej rano przed właz na ulicy Prostej, róg Twardej, zajeżdżają dwa ciężarowe samochody. W biały dzień, bez żadnej prawie obstawy (umówiona obstawa AK zawiodła i ulicę patrolują tylko trzej nasi łącznicy i jeden specjalnie delegowany do tej pracy przedstawiciel AL — tow. Krzaczek) — otwiera się klapa włazu i jeden po drugim, w oczach zdumionego tłumu wychodzą z czarnej jamy Żydzi z bronią w ręku (w owym czasie już sam widok Żyda jest sensacją). Nie wszyscy zdążą się wydostać. Gwałtownie, ciężko zatrzaskuje się klapa włazu — pełnym gazem odjeżdżają samochody.

W getcie pozostały dwie grupy bojowe. Do połowy czerwca utrzymujemy z nimi kontakt. Następnie wszelki ślad po nich zaginął.

Ci, którzy przeszli na „aryjską stronę", kontynuują dalej walkę partyzancką w lasach polskich. Większość ginie. Mała garstka żyjących bierze jako grupa Ż.O.B. czynny udział w powstaniu warszawskim 1944 r. Do dzisiaj pozostali przy życiu z naszych towarzyszy: Chajka Bełchatowska, B. Szpigel, Chana Kryształ, Masza Glejtman i Marek Edelman.

★ ★ ★

W okresie poprzedzającym ostatnią akcję eksterminacyjną działalność Bundu jest ściśle związana z historią Ż.O.B. Jeszcze nigdy, zdaje się, nie było tak zgodnej i skoordynowanej współpracy między ludźmi różnych partii i ugrupowań politycznych, jak w tym okresie. Byliśmy wszyscy bojownikami jednej słusznej sprawy — równi wobec historii i śmierci. Każda przelana kropla krwi miała tę samą wartość.

Chcę jednak wspomnieć o kilku naszych towarzyszach, choć takich jak oni było wielu — a to dlatego, że z nimi stykałem się codziennie w pracy.

Abrasza Blum. W naszej Partii duchowy ojciec zbrojnego oporu. Fizycznej budowy bardzo słabej, lecz o wielkim zapale wewnętrznym i dużym harcie ducha. Zawsze decyduje o ważniejszych naszych wystąpieniach i zawsze jest po stronie młodych. Nie pozwala hamować zapału i pracy. W najtrudniejszych momentach spokojny i opanowany, zawsze myśli i dba o wszystkich. Sam na siebie wziął ten obowiązek tak, jak brał na siebie zawsze najcięższe obowiązki. Wszystko, co robił, było proste i oczywiste. Kilkakrotnie towarzysze, chcący go ratować, próbują wyciągnąć go z getta na ,,aryjską stronę''. Nie godzi się na to. Chce zostać z gettem do końca. Chce wytrwać na posterunku, chociaż do walki się przecież nie nadaje. Nie ma broni w ręku, ale jest bojowcem z ducha. Gdy 3-go maja toczą się walki o bazę operacyjną szczotkarzy i pada rozkaz: ,,Wszyscy do natarcia'' — Abrasza zapytuje komendanta: ,,Czy ja też''? W zdenerwowaniu, nie mając czasu na zastanowienie, tamten odpowiada: ,,Tak'' i Abrasza, bezbronny, idzie do natarcia razem z innymi.

Jurek Błones. Dowódca grupy bojowej na terenie szczotkarzy. Młody zapaleniec. Dwa razy w czasie najcięższych walk, gdy wszystko już zdawało się stracone, gdy wszyscy już opuścili ręce, sam jeden pozostał na posterunku i wstrzymywał natarcie niemieckie, ratując życie nie tylko bojowcom, ale setkom osób cywilnych. Nazajutrz nawet o tym nie pamiętał.

Perelman Mejłach. Dowódca patroli wypadowych w getcie centralnym. Odbywa kilkakrotne wypady pod sam mur. Ostatnim razem dostaje trzy postrzały. Ciężka rana w brzuch uniemożliwia mu prawie chodzenie. Nie oddaje jednak dowództwa. Przez całą drogę osłania odwrót patrolu. Gdy przybywają na bazę operacyjną — nie może się tam dostać przez za wąskie dla niego wejście. Musi zostać na zewnątrz. Koledzy układają go w jednym z opuszczonych pokoi i zostawiają przy nim wartę. Gdy o godz. 11-ej w południe przychodzą Niemcy, odsyła wartownika do schronu, oddaje mu swą broń, by dalej służyła innym, a sam pozostaje na górze i ginie. Jego krzyk długo było słychać poprzez płomienie.

Dawid Hochberg. Dowódca grupy bojowej w getcie centralnym. Jeszcze prawie dziecko, któremu kochająca matka nie pozwoliła wstąpić do Ż.O.B., tak bardzo chciała go uchronić. Gdy Niemcy zbliżają się do schronu, w którym znajduje się 5 grup bojowych i kilkaset osób cywilnych i śmierć ich zdaje się nieunikniona — Dawid oddaje broń i ciałem swoim tarasuje wąskie przejście. W tej pozycji zabijają go Niemcy. I niełatwo z wąskiej szczeliny wyciągnąć jego ciało. Nim to następuje, cała ludność cywilna wraz z bojowcami zdążyła opuścić schron.

Tobcia Dawidowicz. Łączniczka w czasie akcji między terenem Schultza a Toebbensa. Kilkanaście razy odbywa tę straszną drogę. Gdy ostatni raz przeprowadziła swoją grupę do wejścia do kanału, zwichnęła nogę i trudno jej było samej iść. Koledzy ją podtrzymują. Gdy ma ostatnia zejść do włazu, oświadcza: ,,Ja nie pójdę, nie będę was obciążać w i tak trudnej drodze''. I sama została w getcie.

★ ★ ★

10-go maja 1943 roku kończy się pierwszy okres krwawej historii Żydów warszawskich, pierwszy okres naszej krwawej historii. Miejsce, gdzie niegdyś było getto, staje się równą górą gruzów, sięgających drugiego piętra.

Ci, którzy polegli, spełnili swoje zadanie do końca, do ostatniej kropli krwi, która wsiąkła w bruk getta warszawskiego.

My, którzyśmy ocaleli, Wam pozostawiamy to, by pamięć o nich nie zginęła.

✡

IZAAK CELNIKIER, *Noc odjazdu*, af. at. 1980/81/82

Relacja Jana Karskiego

Przed opuszczeniem Polski zorganizowano dla mnie — z rozkazu Delegata Rządu Polskiego w Londynie oraz komendanta Armii Krajowej — spotkanie z dwoma ludźmi, którzy zajmując przed wojną wysoką pozycję w społeczności żydowskiej, kierowali obecnie pracą żydowskiego podziemia. Jeden z nich stał na czele organizacji syjonistycznej, drugiemu, który był przywódcą żydowskiej partii socjalistycznej — Bundu, przypadła poza tym niebezpieczna i trudna funkcja w specjalnej komórce przy Delegaturze Rządu organizującej pomoc dla ludności żydowskiej i starającej się przemycać poszczególnych mieszkańców getta poza jego mury.

Spotkaliśmy się o zmierzchu w dużym, opuszczonym i na wpół rozwalonym domu na przedmieściu. Fakt, że obaj byli obecni jednocześnie, miał swoją wymowę — świadczył, że materiał do przekazania przeze mnie rządowi polskiemu i rządom sprzymierzonym nie miał charakteru politycznego i nie ograniczał się do interesów żadnej z grup. Wyrażał to, co przekazywała, co czuła, czego żądała i co zlecała ludność żydowska w Polsce jako całość, ludność, która wówczas jako całość dogorywała.

To, czego dowiedziałem się na owych spotkaniach i na co patrzyłem później własnymi oczami, przechodzi wszelkie wyobrażenie. Znam historię. Wiem sporo o ewolucji narodów, o systemach politycznych, doktrynach społecznych, metodach podboju, prześladowań i eksterminacji, wiem też, że nigdy w historii ludzkości, nigdy w dziedzinie stosunków międzyludzkich nie zdarzyło się nic, co można by porównać z losem zgotowanym ludności żydowskiej w Polsce.

Ci dwaj ludzie wywierali niezapomniane wrażenie nie tyle jako jednostki, ile jako ucieleśnienie zbiorowego cierpienia i najwyższego napięcia nerwów w beznadziejnej walce. Obaj mieszkali poza gettem, ale tajnymi sposobami mogli wchodzić do ,,dzielnicy'' i opuszczać ją, kiedy chcieli, by prowadzić tam swoją działalność. W getcie wyglądali, zachowywali się i mówili tak samo jak inni jego mieszkańcy. By wykonywać swe zadania poza obrębem murów, zdołali tak dalece zmienić wygląd, że ujść mogli najbardziej przenikliwej obserwacji. Zwłaszcza przywódca Bundu, dzięki dostojnej siwiźnie czupryny i wąsów, czerstwej cerze, prężnej postawie, dzięki temu, że wyglądał zarazem krzepko i nobliwie, śmiało mógł uchodzić za polskiego ,,szlachcica''.

Przed wojną był on znanym prawnikiem, cieszącym się opinią eksperta w zakresie prawa karnego. Dziś wobec władz niemieckich odgrywał rolę właściciela dużego sklepu, człowieka zamożnego, czcigodnego, zrównoważonego. Jak wielkiego wysiłku wymagało utrzymanie się w tej roli, zrozumiałem dopiero wtedy, kiedy towarzyszył mi do getta. Wrażenie dobrobytu i pewności siebie znikło jak za dotknięciem różdżki. Dobrze sytuowany kupiec polski przeszedł nagłą metamorfozę, stając się Żydem, jednym z tysięcy wynędzniałych, umęczonych i zagłodzonych Żydów, dręczonych i z nieludzką zajadłością prześladowanych przez hitlerowców.

Pierwszą rzeczą, którą zrozumiałem rozmawiając z nimi w wieczornej ciszy warszawskiego przedmieścia, była absolutna beznadziejność ich położenia. Oni, cierpiący Żydzi polscy, stanęli w obliczu końca świata. Ani dla nich, ani dla ich pobratymców nie było ucieczki. Ale fakt ten stanowił tylko cząstkę ich tragedii, tylko jedną z przyczyn ich rozpaczy i udręki. Nie bali się śmierci, jako takiej, już się z nią właściwie pogodzili jako z czymś niemal nieuniknionym, ale mieli przy tym gorzką świadomość, że w tej wojnie nie ma dla nich żadnej nadziei na zwycięstwo, na jakiekolwiek zadośćuczynienie, które osładza myśl o bliskiej śmierci. Pojąłem to z pierwszych zaraz słów przywódcy syjonistów.

— Wy, Polacy nie-Żydzi, jesteście szczęśliwi — zaczął. — Oczywiście, i wy cierpicie. Wielu z was zginie, ale naród wasz będzie żył dalej. Po wojnie Polska zmartwychwstanie. Odbudujecie wasze miasta, a wasze rany zagoi kiedyś czas. Z oceanu łez, bólu, gniewu i poniżenia kraj wasz wyłoni się na nowo, ale nie będzie już polskich Żydów. My będziemy martwi. Hitler przegra wojnę przeciw tym, którzy reprezentują ludzkość, sprawiedliwość i dobro, ale wygra wojnę przeciw polskim Żydom. Nie, to nie będzie zwycięstwo; naród żydowski zostanie wymordowany. — Wkrótce po rozpoczęciu rozmowy, po próbie uświadomienia mi, w jakim znaleźli się położeniu, przywódca syjonistów, kryjąc twarz w rękach i łkając jak zbite dziecko, wybuchnął:

— Na co się zda ta rozmowa? Jaki ma sens, żebym żył dłużej? Powinienem pójść do Niemców i powiedzieć im, kim jestem. Jeżeli wszyscy Żydzi zostaną wymordowani, nie będą potrzebowali przywódców... Ale nie ma po co mówić panu o tym. Nikt z zewnątrz nie potrafi tego zrozumieć. I pan nie rozumie. Nawet ja nie rozumiem, mój naród bowiem ginie, a ja żyję.

Starszy mężczyzna starał się go uspokoić, kładąc mu rękę na ramieniu, podczas gdy palce drugiej jego ręki zaciskały się i rozwierały nerwowo.

— Mamy zadanie, które musimy wykonać — powiedział — i bardzo mało na to czasu. Trzeba przejść do rzeczy.

Minęła chwila, nim przywódca syjonistów zdołał zapanować nad sobą. W końcu uśmiechnął się żałośnie i przeprosił mnie.

Powiedziałem mu, że nie potrzebuje mnie przepraszać ani niepokoić się, czy mnie nie urazi swymi zbyt emocjonalnymi reakcjami. Rozumiem doskonale sytuację.

— Jestem tu po to, by pomóc, jeżeli mogę — dodałem. — Wkrótce będę w Londynie i będę miał możność uzyskać audiencję u władz alianckich.

— Naprawdę? — wtrącił z nadzieją w głosie przywódca syjonistów. — Czy myśli pan, że uda mu się zobaczyć Roosevelta i Churchilla?

— Być może. A jeżeli nie, to na pewno kogoś blisko z nimi związanego. Mam do spełnienia oficjalną misję z ramienia podziemia polskiego i będę akredytowany przy rządzie polskim w Londynie. Moje stanowisko będzie oficjalne i muszą panowie przekazać mi oficjalne posłanie do świata zewnętrznego. Jesteście przywódcami żydowskiego podziemia. Co chcielibyście, żebym powiedział?

Zawahali się chwilę, jakby ważyli w myśli wszystko, co mieli do powiedzenia, i dobierali zdania najlepiej odpowiadające ich istotnym uczuciom, najlepiej wyrażając ich położenie i ich pragnienia. Pierwszy przemówił przywódca Bundu, opierając ręce na stole, jak gdyby gest ten pomagał mu się skupić.

— Chcemy, żeby powiedział pan rządowi polskiemu, a także rządom sprzymierzonym i ich wielkim przywódcom, że jesteśmy bezsilni w obliczu niemieckich zbrodniarzy. Nie możemy bronić się sami i nikt w Polsce nie może nas obronić. Konspiracyjne władze polskie mogą uratować poszczególne jednostki, ale nie mogą uratować mas. Niemcy nie usiłują uczynić z nas niewolników, jak z innych narodów; jesteśmy systematycznie mordowani.

— Tego właśnie ludzie nie rozumieją — wpadł mu w słowa syjonista. — To właśnie najtrudniej wytłumaczyć.

Skinąłem potakująco. Przywódca Bundu kontynuował:

— Cały nasz naród ulegnie zagładzie. Być może, że jakaś garstka się uratuje, ale 3 000 000 Żydów polskich są skazane. Nie potrafi temu zapobiec żadna siła tu, w Polsce, ani polskie, ani żydowskie podziemie. Niech pan złoży tę odpowiedzialność na barki sprzymierzonych. Niech pan sprawi, żeby ani jeden z przywódców Narodów Zjednoczonych nie mógł powiedzieć, iż nie wie, że nas w Polsce mordują i że można nam pomóc tylko z zewnątrz.

Takie to uroczyste posłanie poniosłem w świat. Wpoili mi je tak, że nie mogłem go zapomnieć. Dodali przy tym, bo mieli jasne rozeznanie swojej sytuacji: do chwili obecnej wymordowano ponad 1 800 000 Żydów. Ci dwaj ludzie nie chcieli karmić się złudzeniami, przewidywali więc, jak Narody Zjednoczone mogą zareagować na tę informację. Mogły w nią nie uwierzyć. Mogły powiedzieć, że liczba ta jest przesadzona, niezgodna z rzeczywistością. Ja miałem argumentować, przekonywać, czynić wszystko, co w mojej mocy, posługiwać się wszelkimi dostępnymi dowodami i świadectwami, krzyczeć prawdę tak długo, aż nie będzie można jej zaprzeczyć.

Przygotowali dla mnie ścisłe zestawienie statystyczne śmiertelności Żydów w Polsce. Potrzebowałem kilku jeszcze danych.

— Czy moglibyście podać mi — zapytałem — przybliżoną liczbę morderstw popełnionych na ludności gett?

— Liczbę tę z zupełną niemal dokładnością można wyprowadzić z niemieckich rozporządzeń o wysiedleniach — odpowiedział przywódca syjonistów.

— Czy chce pan powiedzieć, że każdy rzekomo wywieziony ginie?

— Absolutnie każdy — potwierdził przywódca Bundu. — Oczywiście Niemcy stwarzali pozory, że tak nie było. Nawet teraz, kiedy nie może już być żadnych wątpliwości, przychodzą listy od ludzi, o których wiemy, że nie żyją, pogodne listy, w których powiadamiają rodziny i przyjaciół, że są zdrowi, pracują, jedzą mięso i biały chleb. Ale my znamy prawdę i możemy umożliwić panu stwierdzenie jej na własne oczy.

— Kiedy rozpoczęły się wysiedlenia?

— Pierwsze zarządzenie przyszło w lipcu. Władze niemieckie zażądały 5000 osób dziennie. Miały być rzekomo wysłane do pracy poza Warszawę. Zostały wysłane wprost do obozów zagłady. Następnie podniesiono dzienną liczbę do 6, 7 w końcu 10 000. Kiedy Czerniaków, inżynier pełniący funkcję przewodniczącego Judenratu, otrzymał od Niemców nakaz dostarczania dziennie do ,,pracy'' 10 000 ludzi, popełnił samobójstwo. On wiedział, co to znaczy.

— Ilu ludzi ogółem ,,wysiedlono''?

— Ponad 300 000. Przeszło 100 000 pozostało, a wysiedlenia trwają.

Zbladłem. Był początek października 1942 r. W ciągu 2 1/2 miesiąca w jednej dzielnicy Polski hitlerowcy popełnili 300 000 morderstw. Miałem więc zanieść światu świadectwo o zbrodni bez precedensu. Nie miało się ono opierać wyłącznie na nie potwierdzonych naocznie relacjach słownych.

Moi rozmówcy zaofiarowali się, że wprowadzą mnie do warszawskiego getta, abym mógł zobaczyć obraz ginącego narodu, wydającego na moich oczach ostatnie tchnienie. Mieli mnie też zabrać do jednego z wielu obozów zagłady, w których Żydzi byli poddawani katuszom i mordowani całymi tysiącami. Znacznie bardziej przekonujące będą słowa naocznego świadka niż przekaziciela zasłyszanych relacji. Jednocześnie uprzedzili mnie, że jeśli zgodzę się na ich propozycję, będę musiał ryzykować życiem. A także, że do śmierci nawiedzać mnie będą upiorne sceny, których będę świadkiem.

Odpowiedziałem, że muszę zobaczyć to wszystko na własne oczy. Liczyłem, że wkrótce znajdę się po tamtej stronie barykady i będę miał okazję przekonania świata, który pozostał cywilizowany, o rzeczywistych faktach. Jeśli nie poznam osobiście tego, co mam przekazać, nie będę mógł uznać, że dorastam do powierzonego mi zadania.

Ustaliliśmy, że jak najszybciej poczynią kroki umożliwiające mi odwiedzenie getta i obozu. Miałem powrócić do tego domu raz jeszcze, by podjąć dyskusję nad możliwie najskuteczniejszymi sposobami przedstawienia sprawy Żydów pozostałemu światu. Kiedy odchodziłem, stali nadal w przyćmionym, migocącym blasku świecy, dwa zgnębione cienie, życzące mi dobrej nocy z ciepłą nutką w głosie, która oznaczała raczej zaufanie do mojej osoby niż ufność w nasze przedsięwzięcie. Kiedy znalazłem się tam po raz drugi, scena i osoby zmieniły się równie nieznacznie, jak okoliczności, które opisywały. Trudno zaiste wyobrazić sobie lepsze miejsce dla naszej rozmowy: opuszczona ruina, posępna cisza przerywana jedynie naszymi głosami i zawodzeniem wiatru, którego każdy podmuch zdawał się grozić zgaszeniem świecy, rzucającej na dookolną ciemność blade, nieregularne plamy światła.

Omówiliśmy krótko mój projektowany wypad do getta, ustalając machinalnie szczegóły dotyczące mego ubrania i zachowania, jakbyśmy chcieli zepchnąć je jak najszybciej z drogi i przejść do ważniejszych tematów. Zadałem wreszcie pytanie, co chcą, żebym powiedział władzom brytyjskim i amerykańskim, gdyby mnie zapytały, w jaki sposób mogą udzielić pomocy. Odpowiedź, jaką otrzymałem, była gorzka i realistyczna. Mówili jak ludzie, którzy wiedzą, iż większość wysuwanych przez nich propozycji nie będzie mogła zostać zrealizowana, którzy nie mają żadnych nadziei na ich realizację, ale muszą je wysuwać jako jedyny sposób położenia kresu cierpieniom ich ludu.

Pierwszy zabrał głos przywódca syjonistów:

— Na Niemcy można oddziaływać tylko siłą i gwałtem. Miasta niemieckie powinny być bez litości bombardowane, a przy każdym bombardowaniu powinny być zrzucane ulotki informujące w całej rozciągłości Niemców o losie polskich Żydów. Powinny zagrozić, że cały naród niemiecki czeka taki sam los zarówno w czasie wojny, jak i po jej zakończeniu. Nie wierzymy w rzeź Niemców i nie dążymy do niej, ale taka groźba jest jedynym sposobem położenia kresu niemieckim okrucieństwom. Takie ostrzeżenie, poparte siłą, może przerazić naród niemiecki tak, że wywrze on na swych przywódców nacisk wystarczający do zmiany ich postępowania. Nic innego nie odniesie takiego skutku.

— Wiemy — dodał przywódca Bundu — że być może planu takiego nie da się przeprowadzić, że nie zmieści się on w założeniach strategicznych aliantów, ale nic na to nie możemy poradzić. Żydzi i ci, którzy pragną im pomóc, nie mogą pozwolić sobie na traktowanie tej wojny z czysto strategicznego punktu widzenia. Niech pan powie rządom sprzymierzonym, że jeżeli chcą nam pomóc, niech ogłoszą oficjalną notę do rządu i ludności Rzeszy, stwierdzając, że na dalsze prześladowania odpowiedzą masowymi represjami, systematycznym niszczeniem całego narodu niemieckiego.

— Rozumiem — odrzekłem. I uczynię, co w mojej mocy, żeby przekazać im i uświadomić to, co od was usłyszałem.

— Domagamy się więcej jeszcze — powiedział przywódca syjonistów. — Hitler ogłosił, że wszyscy Niemcy, bez względu na miejsce zamieszkania i poglądy, stanowią jedną spójną grupę rasową. Połączył ich w jedną armię w celu zapanowania nad światem. Prowadzi totalną wojnę z cywilizacją, a jawnym jego celem jest całkowite zniszczenie narodu żydowskiego. Jest to sytuacja bez precedensu w historii i wymaga bezprecedensowych metod. Niechaj rządy aliantów, wszędzie tam, gdzie sięga ich władza — w Ameryce, Anglii, Afryce, rozpoczną publiczne egzekucje wszystkich Niemców, którzy znajdą się w ich zasięgu. Oto czego się domagamy.

— Ależ to najzupełniej fantastyczny pomysł — odpowiedziałem. — Takie żądanie zmiesza tylko i przerazi tych, którzy wam współczują.

— Oczywiście — odparł syjonista. — Czy myśli pan, że o tym nie wiemy? Żądamy tego, ponieważ jest to jedyna możliwa replika na to, co Niemcy robią z nami. Nie marzymy nawet, by spełniono nasze żądanie, a jednak je wysuwamy. Wysuwamy je po to, by ludzie wiedzieli, co czujemy, gdy taki gotuje nam się los, by wiedzieli, jak bezradni jesteśmy, jak rozpaczliwe jest nasze położenie, jak mało spodziewamy się po zwycięstwie aliantów w obecnym stanie rzeczy.

Zamilkli na chwilę, jakby czekając, by prawda o ich położeniu zapadła we mnie. Ogarniało mnie zmęczenie i podniecenie. Te dwie zdesperowane postacie, przemierzające podłogę mrocznego pokoju, których każdy krok odbijał się echem w głuchej ciszy, coraz bardziej upodabniały się do zjaw. W ich oczach malowała się rozpacz, ból i beznadziejność, której pełni nie byli zdolni wyrazić. Mówili cicho, raczej szeptali czy syczeli, a mimo to miałem wrażenie, że krzyczą. Wydawało mi się, że słyszę odgłosy trzęsienia ziemi, przeraźliwy trzask skorupy ziemskiej rozwierającej się, by pochłonąć część ludzkości, że dochodzą moich uszu krzyki i wycie wpadających w rozpadlinę nieszczęśników.

— To niemożliwe — syczeli, wznosząc zaciśnięte pięści, jakby grozili wszystkim znajdującym się po tamtej stronie barykady. — To niemożliwe, by demokracje mogły spokojnie przejść do porządku dziennego nad stwierdzeniem, że nie sposób uratować żydowskiej ludności w Europie. Jeżeli można ratować obywateli amerykańskich czy angielskich, dlaczego nie można zorganizować na wielką skalę ewakuacji choćby tylko dzieci żydowskich, żydowskich kobiet, starców i chorych? Zaofiarujcie Niemcom wymianę. Zaofiarujcie im pieniądze. Dlaczego alianci nie mogą kupić życia kilku tysięcy polskich Żydów?

— Jak? Jak to zrobić? — pytałem oszołomiony tymi wstrząsającymi, desperackimi sugestiami. — Jest to sprzeczne z wszelką strategią. Czyż możemy dawać wrogom pieniądze, czyż możemy zwracać im żołnierzy, aby ich użyli na froncie przeciw nam?

— O to właśnie chodzi. Właśnie przeciw temu występujemy. Każdy nam mówi: to jest sprzeczne ze strategią tej wojny, ale przecież strategię można zmienić, można ją dostosować do okoliczności. Dostosujmy więc ją tak, aby objęła ocalenie choćby małego ułamka nieszczęsnego ludu żydowskiego. Dlaczego świat pozwala nam umierać? Czyż nie wnieśliśmy swego udziału do kultury, do cywilizacji? Czyż nie pracowaliśmy, nie walczyli, nie krwawili? Dlaczego walczy się o wszystkich innych? Dlaczego nie ma nikogo, kto by powiedział, że należy zmienić i strategię, i taktykę tak, by odpowiadała metodom stosowanym przez Niemców do narodu żydowskiego? Zerwałem się na równe nogi.

— Jaki plan działania mam w waszym imieniu zasugerować żydowskim przywódcom w Anglii i w Ameryce? Mają oni pewien wpływ na przebieg wojny. Mogą wam pomóc.

Przywódca Bundu podszedł do mnie w milczeniu i ścisnął mi ramię aż do bólu. Patrzyłem ze strachem w jego dzikie, szeroko rozwarte oczy, wstrząśnięty ogromem bólu, jaki z nich wyzierał.

— Niech pan powie żydowskim przywódcom, że to nie jest sprawa do rozegrania politycznie czy taktycznie. Niech pan im powie, że trzeba wstrząsnąć ziemią aż do podstaw, że trzeba obudzić świat. Może wtedy otrząśnie się ze snu, pojmie, zrozumie. Niech im pan powie, że muszą znaleźć w sobie siłę i odwagę, by złożyć ofiarę, jakiej nigdy nie żądano od żadnego męża stanu, ofiarę równie bolesną i równie niepowtarzalną, jak los mego konającego ludu. Tego właśnie oni nie rozumieją. Niemieckie cele i metody nie mają precedensu w historii. Demokracje muszą

zareagować na nie w sposób równie bezprecedensowy, wybrać na odpowiedź metody, o których dotąd nie słyszano. Jeżeli tego nie uczynią, ich zwycięstwo będzie zwycięstwem połowicznym, wyłącznie militarnym. Ich metody nie ochronią tych, których obejmuje hitlerowski program zagłady. Ich metody nie ochronią nas.

Przerwał i teraz dopiero wypuścił moje ramię z uścisku. Przemierzał chwilę nerwowo pokój, po czym zatrzymał się przede mną. Mówił wolno i z głębokim namysłem, jakby każde słowo wydobywał z niezmiernym wysiłkiem.

— Pytał pan, jaki plan działania zaleciłbym przywódcom żydowskim. Niech pan im powie, żeby udali się do wszystkich ważniejszych angielskich i amerykańskich urzędów i instytucji. Niech pan im powie, żeby nie wychodzili, póki nie otrzymają gwarancji, że zapadło postanowienie powzięcia jakichś środków ocalenia Żydów. Niech odmawiają jedzenia i picia, niech konają na oczach świata powolną śmiercią. Niech umrą. To może wstrząsnąć sumieniem świata.

Opadłem na fotel. Wstrząsały mną dreszcze i czułem, jak tętno wali mi w skroniach. Wstałem, chcąc odejść.

— Jeszcze chwilę — powiedział przywódca syjonistów. — Nie zamierzaliśmy mówić panu tego, ale chcę, żeby pan powiedział. Wymaganie takich ofiar od zagranicznych przywódców nie jest z naszej strony okrucieństwem. My zamierzamy ponieść je sami tu na miejscu. Getto powstanie w blasku płomieni. Nie chcemy umierać w powolnej męce, lecz w walce. Wypowiemy Niemcom wojnę i będzie to najbardziej beznadziejne wypowiedzenie wojny, jakie kiedykolwiek złożono.

Przywódca Bundu wydał się w pierwszej chwili przestraszony, ale zaraz pochylił się ku mnie, aby potwierdzić słowa towarzysza. Mówił szeptem tak cichym, jakby się bał, że ktoś podsłuchuje za ścianą lub że wiatr, porwawszy jego słowa, rozniesie je po świecie i plan powstania przedwcześnie dotrze do uszu gestapo.

— Organizujemy obronę getta — cedził powoli przez zaciśnięte zęby — nie dlatego, byśmy sądzili, że można je obronić, ale po to, by świat ujrzał beznadziejność naszej walki — jako demonstrację i wyrzut. W chwili obecnej prowadzimy rozmowy z waszym dowódcą w sprawie potrzebnej nam broni. Jeżeli ją otrzymamy, oddziały przeprowadzające wysiedlenie spotka któregoś dnia krwawa niespodzianka.

— Przekonamy się — dodał syjonista — czy my, Żydzi, możemy jeszcze zdobyć prawo do śmierci w walce, a nie, jak rozkazał Hitler w mękach.

Opowieść o wyprawie do getta według filmu *Shoah* Claude Lanzmanna'a:
Nagle przyszła mu (przywódcy bundowskiemu — dop. red.) pewna myśl do głowy: ,,Panie Witoldzie, ja znam Zachód. Będzie pan prowadził negocjacje Ż Anglikami, przekazywał im ustny raport. Jestem pewien, że bardziej przekonywujące będzie, gdy pan im powie: ,,Ja to widziałem''. Możemy zorganizować panu wyprawę do getta. Zgadza się pan? Jeśli tak, pójdę z panem i będę czuwał nad pana bezpieczeństwem'' (—).

Pod budynkiem, którego tylna ściana stanowiła część muru getta, zaś fasada znajdowała się po stronie aryjskiej, był tunel: przeszliśmy bez żadnych trudności. I nagle — inny świat. Przywódca bundowski wyglądający jak polski szlachcic nagle zgarbił się jak Żyd z getta, jakby zawsze był tutaj. To była jego natura, jego świat. Szliśmy ulicami, on po mojej lewej stronie, nie mówiliśmy wiele. Na ulicach leżały nagie zwłoki. Zapytałem: dlaczego tu leżą? On odpowiedział: to jest problem. Gdy Żyd umiera, a rodzina chce go pogrzebać, musi płacić. Nie mają czym płacić, więc wyrzucają zmarłych na ulice. Każdy łach się liczy, a więc zdejmują ubrania. Gdy nagie ciała znajdą się na ulicy — zajmuje się nimi Rada Żydowska.

Kobiety z niemowlętami karmiące piersią na oczach wszystkich. Tylko one nie mają piersi... w tym miejscu jest zupełnie płasko. Niemowlęta o oczach szaleńców patrzą na nas. To nie był ten świat, to nie była ludzkość.

Ulice zatłoczone, pełne, jakby wszyscy żyli na zewnątrz. Wystawiają swoje biedne skarby, każdy sprzedaje to, co ma, trzy cebule, dwie cebule, parę sucharów. Wszyscy sprzedają, wszyscy żebrzą. Głód. Straszliwe dzieci. Dzieci biegnące same, dzieci siedzące przy matkach. To nie była ludzkość, to był rodzaj piekła.

Przez tę część getta centralnego przechodzili niemieccy oficerowie. Po służbie oficerowie Gestapo skracali sobie drogę idąc przez getto. Więc przechodzili Niemcy w mundurach. Zapadała cisza. Wszyscy śledzili ich przejście, znieruchomiali ze strachu, bez ruchu, bez słowa. Niemcy pogardliwi, czuło się ich przekonanie, że ci brudni podludzie nie są dla nich istotami ludzkimi. Nagle panika.

Żydzi uciekają z ulicy, którą idziemy. Rzucamy się w stronę jednego z domów, mój towarzysz mamrocze „drzwi — otwórzcie drzwi" — ktoś otwiera, wchodzimy. Biegniemy do okien od strony ulicy. Później wracamy do drzwi i stojącej przy nich kobiety. On mówi — „Nie bój się, jesteśmy Żydami". Popycha mnie ku oknu: „Niech pan patrzy!" Przechodziło dwóch chłopców o przyjemnych twarzach, w mundurach Hitlerjugend. Rozmawiali. Za każdym ich krokiem Żydzi uciekali, znikali. A ci rozmawiali dalej. Nagle jeden z nich sięgnął ręką do kieszeni i bez zastanowienia wystrzelił. Dźwięk tłuczonego szkła, wycie człowieka. Drugi składa mu gratulacje, odchodzą.

Stałem skamieniały. I wtedy żydowska kobieta, która najwidoczniej zrozumiała, że nie jestem Żydem, objęła mnie: „Niech pan stąd idzie, to nie dla pana, niech pan odejdzie".

Opuściliśmy dom i wyszliśmy z getta. Powiedział mi: „Nie widział pan wszystkiego. Czy chce pan jeszcze tu wrócić? Pójdę z panem, chcę, żeby pan zobaczył wszystko".

Wróciliśmy następnego dnia tą samą drogą przez ten sam budynek. Tym razem szok był już mniejszy i dostrzegłem inne rzeczy. Odór, brud. Duszący odór. Brudne ulice. Atmosfera podniecenia, napięcia, szaleństwa. To był plac Muranowski. W jednym rogu dzieci bawiły się szmatami. Rzucały w siebie szmatami. On powiedział: „Proszę spojrzeć, dzieci bawią się, życie trwa". Odpowiedziałem: „One nie bawią się, one tylko udają". Obok kilka rachitycznych drzewek. Szliśmy dalej nie odzywając się do nikogo. Szliśmy tak około godziny. Od czasu do czasu zatrzymywał mnie: „Niech pan spojrzy na tego Żyda": człowiek stojący bez ruchu. Zapytałem „Czy on jeszcze żyje?" — „Żyje, żyje" — odpowiedział. „Panie Witoldzie niech pan zapamięta, on jest w trakcie umierania. On właśnie umiera. Proszę patrzeć na niego i opowiedzieć im tam. Widział go pan, proszę pamiętać!" Idziemy dalej. Makabra! Od czasu do czasu szeptał: „Niech pan to zapamięta, i to, i to. Tę kobietę" Wiele razy pytałem — co się z tymi ludźmi dzieje? Odpowiadał: „Umierają. Niech pan zapamięta, niech pan pamięta".

Trwało to wszystko około godziny, później zawróciliśmy. Już nie mogłem wytrzymać. „Proszę mnie stąd wyprowadzić". Nie ujrzałem go już nigdy więcej. Byłem chory. Nawet teraz już nie chcę. Rozumiem co pan robi i dlatego tu jestem. Ale nie wracałem do moich wspomnień. Już nie mogłem. Raport przekazałem i opowiedziałem to, co widziałem. To nie był świat, to, co widziałem. To nie była ludzkość. Nie byłem tam, nie należałem do tego, nigdy przed tym nie widziałem czegoś podobnego. I nikt nie opisał takiej rzeczywistości. Nie pokazał w żadnej sztuce, żadnym filmie.

To nie był świat. Mówiono mi, że to są istoty ludzkie, ale nie przypominały już istot ludzkich. Wyszliśmy, uścisnął mnie. „Powodzenia" — odpowiedziałem — „powodzenia". Nigdy go już nie zobaczyłem.

Przekazałem moje doświadczenia wybitnym członkom rządów brytyjskiego i amerykańskiego oraz przywódcom żydowskim obu kontynentów. Powiedziałem, co widziałem w getcie, niektórym wybitnym pisarzom — Wellsowi, Arturowi Koestlerowi, członkom PEN-klubu — ponieważ mogą oni opisać to z większą siłą i talentem niż ja. Mówiłem o tym również wielu innym ludziom, mniej znanym, a wśród nich jednemu, który nigdy już nie przemówi.

Pięć tygodni po moim przyjeździe zorganizowano mi w Londynie spotkanie. Dla mnie było to jedno z niezliczonych takich spotkań, bynajmniej nie najważniejsze. Od chwili przybycia do Londynu żyłem w kołowrocie setek konferencji, rozmów, kontaktów i sprawozdań. Byłem zajęty od 9 rano do północy dzień w dzień, niemal bez wytchnienia, bez przerw poza najkonieczniejszymi. Tym razem miałem się spotkać z jednym z przywódców Bundu. Nazywał się Szmul Zygelbojm. Był w Polsce do 1940 r., pracował w żydowskim podziemiu, wchodził w skład Judenratu w warszawskim getcie, a nawet, jeśli się nie mylę, jakiś czas więziony był przez hitlerowców w charakterze zakładnika. Mieliśmy się spotkać w Stratton House koło Piccadilly — w przypominającej brzęczący ul siedzibie polskiego Ministerstwa Spraw Wewnętrznych przy ulicy o tej samej nazwie. Kiedy wszedłem do jednego z małych pokoików, Zygelbojm czekał już na mnie, siedząc spokojnie na biurowym krześle. Byłem zmęczony i w czasie prezentacji przyjrzałem mu się tylko pobieżnie. Od wybuchu wojny miałem do czynienia, bez przesady, z tysiącami ludzi, przy chronicznym braku czasu. Musiałem więc nauczyć się oceniać człowieka od pierwszego wejrzenia. Wyrobiłem sobie nawyk błyskawicznego określania umysłowości i sposobu bycia każdego spotkanego człowieka, aby móc wykonać swoje zadanie jak najskuteczniej w jak najkrótszym czasie.

Na pierwszy rzut oka Zygelbojm reprezentował typ, z którym często spotykałem się wśród żydowskich przywódców. Miał twarde, podejrzliwe spojrzenie proletariusza, self-made mana, który nie da się wziąć na lep pięknych słówek i wszędzie węszy fałsz. Początek życia miał zapewne ciężki — być może zaczynał jako chłopiec na posyłki u krawca lub też jako zamiatacz ulic. „Muszę być ostrożny i dokładny" — pomyślałem.

— O czym chciałby pan usłyszeć — zapytałem.

— O Żydach, przyjacielu. Jestem Żydem. Niech mi pan powie, co pan wie o Żydach w Polsce.

— Czy jest pan upoważniony do zapoznania się z materiałami, które otrzymałem na wspólnych konferencjach z przywódcami Bundu i syjonistów?

— Tak. Reprezentuję Bund w Radzie Narodowej i byłem jednym z jego przywódców w Polsce.

Rozpocząłem opowiadanie w zwykły, stereotypowy sposób. Po wielu doświadczeniach wyrobiłem sobie pewien schemat na takie okazje. Przekonałem się, że na ogół biorąc, aby informacje moje znalazły oddźwięk, najskuteczniej jest nie łagodzić ich ani nie interpretować, lecz podawać je jak najbardziej bezpośrednio, odtwarzając nie tylko koncepcje i polecenia, ale nawet język, gesty i niuanse wypowiedzi tych, od których pochodziły. To zresztą było moim zadaniem — możliwie wierne i konkretne odtworzenie materiału.

Zygelbojm słuchał chciwie, w napięciu; niepodobna było zaspokoić jego żądzy informacji. Siedział sztywno, z rozstawionymi szeroko nogami, skupiony w sobie, podany do przodu, z rękami wspartymi na kolanach. Nieruchome spojrzenie jego ciemnych, szeroko otwartych oczu utkwione było w punkt na suficie gdzieś poza moimi plecami. Cała jego twarz zastygła w bezruchu, nie drgnął w niej ani jeden muskuł, wyjąwszy nerwowy skurcz policzka.

— Warunki życia są potworne. Życie w getcie jest nieustanną udręką, przewlekłym, bolesnym konaniem — recytowałem niemal mechanicznie. — Polecenia, jakie otrzymałem od przywódców żydowskich, są nie do zrealizowania, zarówno z politycznych, jak taktycznych względów. Mówiłem z władzami brytyjskimi. Odpowiedź zgodna była z przewidywaniami waszych przywódców w Polsce: „Niestety, to niemożliwe, tego nie da się zrobić".

Zygelbojm zerwał się gwałtownie i zrobił krok czy dwa w moim kierunku. W jego oczach wyczytałem wściekłość i pogardę. Jednym porywczym ruchem ręki odtrącił wszystko, co dotąd mówiłem, tak że poczułem się, jakbym dostał za karę po łapach.

— Niech pan posłucha — krzyknął prawie. — Nie przyszedłem, żeby rozmawiać z panem o tym, co się tu dzieje. Niech mi pan nie opowiada, co się mówi i robi tutaj. Sam to wiem. Przyszedłem, żeby usłyszeć, co się tam dzieje, czego oni tam chcą, co tam mówią!

Odpowiedziałem z brutalną prostotą i bezpośredniością:

— Proszę bardzo. Oto czego oni żądają od swoich przywódców w wolnych krajach świata, oto co polecili mi powiedzieć: „Niech pan im powie, żeby udali się do wszystkich ważniejszych angielskich i amerykańskich urzędów i instytucji. Niech pan im powie, żeby nie wychodzili, póki nie otrzymają gwarancji, że zapadło postanowienie powzięcia jakichś środków ocalenia Żydów. Niech odmawiają jedzenia i picia, niech konają na oczach świata powolną śmiercią. Niech umrą. To może wstrząsnąć sumieniem świata".

Zygelbojm szarpnął się jak oparzony i zaczął krążyć w podnieceniu wokół pokoju niemal biegiem. Między ściągniętymi brwiami zarysowały się głębokie bruzdy. Jedną ręką chwycił się za głowę, jakby rozsadzał mu ją ból.

— To niemożliwe — powiedział wreszcie. — Absolutnie niemożliwe. Pan wie, co by się stało. Zawołaliby po prostu dwóch policjantów i kazali im wyrzucić mnie za drzwi. Czy pan sądzi, że pozwoliliby mi umierać powolną, przewlekłą śmiercią? Nigdy... nigdy by mi na to nie pozwolili.

Rozmawialiśmy bardzo długo. Powtórzyłem mu otrzymane polecenia ze wszystkimi szczegółami. Powiedziałem mu wszystko, co wiedziałem o Żydach w Polsce, i wszystko, co sam widziałem. Zadawał niezliczone pytania, żądał szczegółów coraz to bardziej konkretnych, wręcz błahych. Może czuł, że jeśli przekażę mu obraz dostatecznie jasny i drobiazgowy, będzie mógł cierpieć razem z nimi, zjednoczyć się z nimi.

Uczyniłem wszystko, co w mojej mocy, by zaspokoić jego głód faktów i szczegółów, wydobywając z pamięci każdy drobiazg, który przechowywałem w niej na taką właśnie okazję. Pod koniec rozmowy byłem tak wypruty z sił, że nie mogłem już w ogóle odpowiadać. Zygelbojm sprawiał wrażenie bardziej jeszcze zmęczonego niż ja: oczy wychodziły mu niemal z orbit, policzek drgał coraz częściej. Przy pożegnaniu spojrzał mi wprost w oczy, wzrokiem napiętym i pytającym:

— Uczynię wszystko, co w mojej mocy, by im pomóc. Wszystko! Zrobię wszystko, czego żądają, jeżeli tylko będę miał możność. Pan mi wierzy, nieprawda?

Moja odpowiedź wypadła dość oschle i niecierpliwie. Byłem zmęczony, zawiedziony, pełen napięcia. Tyle rozmów, tyle spotkań...

— Oczywiście, że wierzę. Jestem pewny, że uczyni pan wszystko, co w pana mocy, i wszystko, czego żądają. Mój Boże, każdy z nas stara się robić, co w jego mocy.

Myślę, że w głębi duszy uznałem jego słowa za przechwałkę, w najlepszym razie za nieprzemyślaną obietnicę, której nie będzie mógł spełnić. Byłem rozdrażniony i udręczony. Zadawał tak wiele bezużytecznych pytań, na które nie było miejsca w rozmowie. Czy mu wierzę? Co za różnica — wierzę czy nie wierzę? Sam już nie wiedziałem, w co wierzę, a w co nie wierzę. Nie miał prawa dręczyć mnie dłużej. Miałem dość własnych kłopotów...

Minęło kilka tygodni, w czasie których zupełnie zapomniałem o Zygelbojmie w codziennym kołowrocie rozmów i spotkań. Znalazłem właśnie chwilę wytchnienia i odpoczywałem w moim pokoju na Dolphin Square, kiedy zadzwonił telefon. Pozwoliłem mu rozmyślnie dzwonić 3 czy 4 razy, zanim podniosłem niechętnie słuchawkę. Telefonował jeden z urzędników ze Stratton House.

— Czy pan Karski? Polecono mi powiadomić pana, że Szmul Zygelbojm, członek Rady Narodowej i przedstawiciel Bundu w Londynie, popełnił wczoraj samobójstwo. Zostawił notatkę, że uczynił wszystko, co było w jego mocy, żeby pomóc Żydom w Polsce, ale nic nie wskórał, że wszyscy jego bracia zginą i że połączy się z nimi. Odkręcił gaz w mieszkaniu.

Odłożyłem słuchawkę. W pierwszej chwili nie czułem nic, ale potem ogarnęły mnie mieszane uczucia wstrząsu, żalu i winy. Czułem się tak, jakbym osobiście wręczył Zygelbojmowi wyrok śmierci, chociaż byłem tu tylko narzędziem. Z bólem zdałem sobie sprawę, że moja odpowiedź na jego ostatnie pytanie mogła mu się wydawać oschła i niechętna. Czyżbym stał się tak cyniczny, tak pospieszny i ostry w sądach, że nie byłem już w stanie ocenić, do jakiego stopnia poświęcenia zdolny jest człowiek taki jak Zygelbojm? Długo jeszcze nie mogłem odzyskać zaufania do siebie i do swojej pracy i świadomie zmuszałem się do zdwojonego wysiłku, aby uciec od tych refleksji.

Od tej chwili często myślałem o Szmulu Zygelbojmie, jednej z najtragiczniejszych ofiar tej wojny i jej potworności. Bo w śmierci Zygelbojma nie było nic podnoszącego na duchu. Była to śmierć narzucona sobie przez człowieka i pozbawiona cienia nadziei. Zastanawiam się, ilu ludzi potrafi zrozumieć, co to znaczy umrzeć tak, jak on umarł, dla sprawy, która mogłaby być zwycięska, a jednocześnie w pełni świadomości, że nawet zwycięstwo nie zapobiegnie unicestwieniu jego narodu, zniszczeniu wszystkiego, co miało dla niego największą wagę. Ze wszystkich śmierci w tej wojnie śmierć Zygelbojma była jedną z najbardziej przerażających, objawiła bowiem w nagłym błysku, jak dalece świat stał się oziębły i nieprzyjazny, jak bezbrzeżna przepaść obojętności, egoizmu i wygodnictwa rozdzieliła narody i jednostki. Aż zbyt wyraźnie śmierć ta uwydatnia prawdę, że wzajemna podejrzliwość, chłód, brak współczucia postąpiły już dość daleko, aby nawet ci, którzy pragną naprawy i dążą do niej wszystkimi możliwymi środkami, byli bezsilni, zdolni osiągnąć żałośnie mało.

Szmul Zyg(i)elbojm (ur. 1895) — robotnik z zawodu, członek władz naczelnych Bundu, 1927–1935 z jego ramienia radny m. Warszawy, 1938 Łodzi, uczestnik obrony stolicy we wrześniu 1939. W początkach okupacji próbował stworzyć formy jawnej pracy społecznej wśród Żydów, jednakże, nakłoniony przez środowisko bundowskie, wyjechał pod koniec 1939 r. przez zieloną granicę do Londynu, gdzie do śmierci był przedstawicielem Bundu w Radzie Narodowej. Motywy swego samobójstwa wyjaśnił w pozostawionym liście do prezydenta Raczkiewicza i gen. Sikorskiego:

„*Pozwalam sobie skierować do Was moje ostatnie słowa, a przez Was do Rządu Polskiego i Narodu Polskiego, do rządów i narodów wszystkich państw sojuszniczych i do sumień świata. Z ostatnich wiadomości, które otrzymano z Polski, wynika jasno, że Niemcy likwidują teraz ze straszliwym okrucieństwem resztki pozostałych tam Żydów.*
Wśród murów getta odbywa się obecnie ostatni akt tragedii, jakiej nie znała historia. Odpowiedzialność za zbrodnię wymordowania całej ludności żydowskiej w Polsce spada w pierwszym rzędzie na samych morderców, ale pośrednio obciąża ona także całą ludzkość, narody i rządy państw sojuszniczych, które do tej pory nie usiłowały przeprowadzić konkretnej akcji celem wstrzymania tej zbrodni. Przypatrując się biernie wymordowaniu milionów bezbronnych zamęczonych dzieci, kobiet i mężczyzn, stały się te kraje wspólnikami zbrodniarzy.

Pragnę też oświadczyć, że aczkolwiek rząd polski w wielkiej mierze przyczynił się do wywarcia wpływu na opinię publiczną świata, nie uczynił nic takiego, co by odpowiadało ogromowi dramatu rozgrywającego się obecnie w Polsce. Z ok. 3 500 000 Żydów polskich i 700 000 Żydów deportowanych do Polski z innych krajów żyło w kwietniu 1943 r. — według informacji kierownika podziemnej organizacji bundowskiej, przesłanej nam przez Delegatów Rządu — tylko 300 000. A zagłada szerzy się dalej bez przerwy.

Nie mogę pozostać w spokoju. Nie mogę żyć, gdy resztki narodu żydowskiego w Polsce, którego jestem przedstawicielem, są likwidowane. Moi towarzysze w getcie warszawskim polegli z bronią w ręku w ostatnim bohaterskim boju. Nie było mi sądzonym zginąć tak jak oni, razem z nimi. Ale należę do nich i do ich grobów masowych.

Śmiercią swoją pragnę wyrazić najsilniejszy protest przeciw bierności, z którą świat przygląda się i dopuszcza do zagłady ludu żydowskiego. Wiem, jak mało znaczy życie ludzkie w naszych czasach, ale ponieważ nie mogłem nic zrobić za życia, przyczynię się może przez moją śmierć do tego, by załamała się obojętność tych, którzy mają możliwość uratowania, być może w ostatniej chwili, pozostałych jeszcze przy życiu Żydów polskich.

Moje życie należy do narodu żydowskiego w Polsce i dlatego mu je oddaję. Życzeniem moim jest, by resztki, które zostały po kilku milionach polskich Żydów, dożyły wyzwolenia w świecie wolności i sprawiedliwości socjalistycznej razem z ludnością polską. Wierzę, że powstanie taka Polska i że nadejdzie taki świat.

Jestem pewien, że Pan Prezydent i Pan Premier przekażą moje słowa wszystkim, do których są zwrócone, i że Rząd Polski podejmie natychmiast odpowiednią akcję na terenie dyplomatycznym na rzecz tych, którzy jeszcze żyją. Kieruję moje «Bądźcie zdrowi» do wszystkich i do wszystkiego, co jest mi drogie i co kochałem.

Londyn, maj 1943"   Szmul Zygelbojm

Jan Karski to pseudonim **Jana Kozielewskiego,** przed wojną urzędnika MSZ, obecnie profesora uniwersytetu Georgetown w Waszyngtonie. Kozielewski był podczas okupacji kurierem zagranicznym AK i Delegatury Rządu; jesienią 1942 r., a więc już po pierwszej wielkiej akcji w getcie warszawskim, wyjechał do Londynu celem przedstawienia sytuacji w kraju. Efekt jego relacji opisuje notatka służbowa BiP z rozmowy ze skoczkiem ,,Jurem'' (Jerzym Lerskim) 24 III 1943; ,,Materiał przywieziony przez W. ,,Witolda'' — jeden z pseudonimów wewnętrznych Karskiego w AK — stał się olbrzymią sensacją, której efekt międzynarodowy znamy jako kampanię o Żydów''. Książka Kozielewskiego *Story of a Secret State,* napisana w 1943 r., ukazała się w USA w 1944 i przez dłuższy czas figurowała na liście bestsellerów. Nie jest to pamiętnik o celach wyłącznie czy przede wszystkim dokumentarnych, ale publikacja propagandowa, której zadaniem było ,,wstrząsnąć sumieniem świata''. Już po wojnie, w 1948 r., ukazał się w Paryżu przekład francuski pt. *Mon témoignage devant le monde.*

Młodszy z dwu rozmówców Karskiego to najprawdopodobniej Menachem Kirszenbaum, przewodniczący tajnego Żydowskiego Komitetu Narodowego, starszy — Leon Fajner, ps. ,,Mikołaj'', ,,Berezowski'' (1888–1945), adwokat krakowski, podczas okupacji przedstawiciel Bundu wobec władz cywilnych polskiego podziemia związanego z rządem w Londynie, członek Rady Pomocy Żydom (nazwisko jego występuje również w formie: Feiner).

Relację Jana Karskiego, list Szmula Zygelbojma oraz objaśnienia podajemy za *Ten jest z ojczyzny mojej — Polacy z pomocą Żydom 1939–1945* w opracowaniu Władysława Bartoszewskiego i Zofii Lewinówny, wyd. Znak 1969. Relacja pochodzi ze *Story of a Secret State*, Boston 1944, Houghtom Miffim Comp., tłum. Halina Krahelska.

IZAAK CELNIKIER, *Żółta gwiazda*, at. 1981

Zapiski szofera szwajcarskiej misji lekarskiej (FRAGMENTY)

FRANZ BLÄTTLER

Pędzę Alejami, skręcam w prawo, w Güterstrasse (Towarową), mijam halę targową i za parę minut znajduję się w pobliżu getta.

Przede mną wyrasta wysoki mur z cegieł. Mimowolnie noga nie naciska już tak mocno na pedał gazu. Ogarnia mnie strach na myśl o rzeczach, które ujrzę niebawem. Pusto spoglądają na mnie okna, w których mimo zimna brak wielu szyb, powybijanych od uderzeń bomb i pocisków, okna świadczące o cierpieniu tych, którzy znajdują się we wnętrzu domów. Dziwna walka toczy się we mnie: może powinienem zawrócić, żeby ocalić w sobie resztkę młodzieńczych ideałów o poszanowaniu drugiego człowieka? Wiem, że zobaczę rzeczy przerażające. Nie, znów się opanowuję i mocno naciskam pedał gazu. Jadę dalej wzdłuż muru otaczającego getto. Teraz pojawia się także z lewej strony długi ceglany mur. To już musi być cmentarz żydowski. Jezdnia ulicy jest jakby wtłoczona między te dwa miejsca grozy. Dla mnie „aryjczyka" oznacza ona jeszcze fizyczną wolność, dla Żydów z prawej i lewej strony jest ona wprawdzie bardzo blisko, ale przecież już nieosiągalna. Ten mały budynek przede mną to chyba wejście na cmentarz. Słusznie, niemiecki wartownik wyszedł już na ulicę i krytycznie mierzy wzrokiem moją karetkę. Następne minuty będą decydujące. Parkuję samochód tuż przed wartownikiem na prawym poboczu i chcę wysiąść. Zatrzymuję się jednak, gdyż spostrzegam, że mam przewieszony pistolet. Cóż bym z nim robił na cmentarzu? Każdy uzbrojony człowiek jest dla Polaków wrogiem, a ja przecież przybywam jako przyjaciel, umarli też nic mi nie mogą uczynić. Szybko chowam broń pod siedzenie. „Czy ma pan jakąś legitymację, która zezwala, by się tu zatrzymać?" — pyta wartownik. „Czerwony Krzyż" — odpowiadam szybko i pokazuję na moją laskę Eskulapa. To, że jestem zwyczajnym kierowcą, zachowuję ze zrozumiałych powodów w tajemnicy. Wartownik jest niezdecydowany, na taką wizytę nie był przygotowany. Widzę, że w tej grze już zwyciężyłem. Jakkolwiek niemieccy wartownicy są zwykle niezawodni, okazują się bezradni, gdy zaistnieje jakiś niezwyczajny przypadek — brak im wówczas fantazji niezbędnej do improwizacji. „Proszę uważać, żeby nikt nie zbliżał się do karetki!" — dorzucam jeszcze wojskowym tonem i zmierzam prosto do zamkniętego wejścia na cmentarz. Uderza mnie jakiś dziwny, nie znany mi dotąd zapach: słodkawy i odrażający. Wtykam sobie szybko w usta cygaro, aby z jego aromatu czerpać dalsze siły. Podchodzi do mnie stosunkowo dobrze ubrany cywil z żydowską opaską na ramieniu i gwiazdką syjońską na czapce. Przedstawia się jako żydowski policjant. Płynną niemczyzną pyta, czego sobie życzę. Ciągle jeszcze znajduję się w zasięgu wzroku wartownika niemieckiego i melduję z wyraźnie szwajcarskim akcentem, że chcę obejrzeć cmentarz. Wskazuję na moją czapkę z krzyżem szwajcarskim, patrzę przenikliwie w jego twarz i mówię tylko: „Szwajcar, Czerwony Krzyż". Zdaje mi się, że widzę, jak w człowieku tym natychmiast dokonuje się jakaś zmiana. Te dwa słowa zdają się mieć cudowne działanie. Jego nieprzystępność znika, otwiera szybko barierę i prosi, żeby iść za nim. Na dziedzińcu widzę pełno taczek ręcznych. Leżą na nich zwłoki mężczyzn, kobiet i dzieci, powrzucane niedbale jedne na drugie, na ogół nagie, okropnie wychudzone, pokryte wrzodami i ranami.

Na lewo stoi niska szopa, której drzwi są otwarte. Przed tą szopą leżą ułożone w duży stos zwłoki dzieci, od jednodniowych do mniej więcej trzyletnich. Wygląda to jak duży stos popsutych lalek. Obraz ten prześladuje mnie jak zły sen. Czy to jest rzeczywiście możliwe? Czy można pozwolić człowiekowi z krwi i kości umierać w tak żałosny sposób? Żydowski policjant spostrzega, jakim wstrętem napawa mnie ten obraz, i prowadzi mnie dalej. Nie, wcale nie chcę uciekać przed tymi okropnościami. Tłumiąc w sobie wzrastające uczucie obrzydzenia usiłuję zapamiętać każdy szczegół oglądanych potworności. „Czy wolno wejść do tej hali?" — pytam mojego przewodnika. Wzrusza ramionami, chce przez to powiedzieć: ja jestem do tego przyzwyczajony, ale jeśli i ty masz ochotę to zobaczyć, proszę — wchodź.

Hala nie ma żadnych okien i muszę się najpierw przyzwyczaić do otaczającego mnie półmroku. Trupi odór jest nie do zniesienia. Zdaje się, że cygaro stanowi w tej chwili mój ratunek, bez niego nie wytrzymałbym tego zapachu. Po lewej stronie leżą na drewnianych pryczach zwłoki mężczyzn, odziane tylko w spodnie. ,,Niech pan zobaczy ich potylice — z oddali dociera do moich uszu głos policjanta — tych 25 mężczyzn zabito strzałami w tył głowy, tak się zwykle postępuje z Żydami''. Rzeczywiście, u każdego z nich stwierdzam rany postrzałowe z tyłu głowy, u wielu dwa—trzy otwory, ponieważ pierwszy strzał nie spowodował śmierci. ,,Dlaczego rozstrzelano tych mężczyzn?'' — chcę się dowiedzieć. ,,Oni sami tego nie wiedzieli'' — odpowiada mi lakonicznie policjant. Obok leży nieboszczyk z nabrzmiałą, siną twarzą. ,,Tego z kolei powieszono'' — słyszę ponownie obojętny głos mojego przewodnika. Nie chcę już o nic pytać, zdaje się, że żaden z tych ludzi, którzy leżą w hali, nie umarł śmiercią naturalną.

Prowadzę dalej tę makabryczną inspekcję. Ci wszyscy zagłodzeni, powieszeni, rozstrzelani, których oglądam w hali, stanowią żniwo jednego tylko poranka. Tam leży ktoś z rozbitą czaszką, ręce trzyma ciągle jeszcze kurczowo złożone, jak gdyby błagał o miłosierdzie, o śmierć mniej okrutną. Chociaż mamy 20 stopni poniżej zera, jestem zlany potem. Wielu rannych ma połamane kończyny. Muszę już wyjść z tej hali — na słońce, na świeże powietrze.

,,Interesują pana też groby masowe?'' — pyta żydowski policjant. ,,Tak, chciałbym zobaczyć wszystko''. Wyjaśnia mi: ,,Obok starego cmentarza żydowskiego było przed tym duże pole. Dzisiaj jest to jeden z największych grobów masowych, jakie kiedykolwiek istniały, wypełniony Żydami ze wszystkich części Europy. Dziwi się pan pewnie, że tak dobrze mówię po niemiecku? Nazywam się..., z zawodu jestem architektem, to znaczy byłem nim przed wojną. Przedtem mieszkałem w Łodzi i stamtąd zostałem deportowany do warszawskiego getta. Studiowałem w Szwajcarii, a także w Niemczech przed dojściem Hitlera do władzy. To, że żyję, zawdzięczam moim umiejętnościom językowym. Jako żydowski policjant muszę także obcować z władzami okupacyjnymi''.

Wskazuje ręką na okoliczne tereny: ,,To duże pole po tamtej stronie, z usypanymi kopcami ziemi, to są wypełnione groby masowe. Teraz tam już znowu sadzi się kartofle. Zaraz będzie pan miał okazję zobaczyć, jak się zakopuje zwłoki zebrane z jednego tylko przedpołudnia. Zaczynamy pracować już o siódmej rano, żeby do południa uporać się z tą robotą''. ,,Czy mogę panu jako Szwajcar zadać parę pytań?'' Obserwuje mnie uważnie i odpowiada poważnym głosem: ,,Dlaczego nie? Przecież wcześniej czy później będę dokładnie tak samo leżał w tamtym miejscu jak ci, których pan oglądał. Dla nas nie ma ucieczki. Jako intelektualista powinienem, według niemieckiego programu, już od dawna nie żyć, jedynie znajomość języka zachowała mnie dotąd przy życiu. Moich współwyznawców dziesiątkuje się jednak tak systematycznie, że najwyżej za dwa—trzy lata nie będzie już żadnych Żydów, a więc także moje stanowisko policjanta stanie się iluzoryczne. Nie mam więc zbyt wiele do stracenia, może pan wykorzystać moje informacje, jak pan zechce''. ,,Ile osób umiera dziennie?'' — chcę dowiedzieć się od niego. ,,400 do 600 — odpowiada — krzywa stale jednak wzrasta''. ,,Na co umierają ludzie najczęściej?'' ,,W 90% z głodu, 5% śmiercią gwałtowną, a pozostałe 5% pożerają epidemie''. ,,Dlaczego większość zwłok ma potłuczone kończyny i jest pozbawiona ubrania?'' ,,Czy nie był pan nigdy w getcie? — odpowiada pytaniem na moje pytanie. — Większość spośród nas, Żydów, nic już nie posiada. Gdy zabierają regularnie z naszych mieszkań ciała naszych krewnych, to żąda się od nas jeszcze uiszczenia opłaty za miejsce w grobie masowym. Ponieważ tylko nieliczni spośród nas dysponują pieniędzmi, nie możemy sobie na to pozwolić i dlatego nocą wyrzucamy zwłoki przez okno na ulicę. Przy upadkach z wyższych pięter umarli łamią sobie kończyny. Każdego ranka zbiera się na taczki, które pan widział na cmentarzu, zwłoki z całego getta, ich grzebanie odbywa się na koszt państwa. Gdy zmarły ma na sobie jakiś łachman, zabierają mu go albo członkowie rodziny, albo zdzierają później z ciała przechodnie na ulicy. Odzież jest w getcie tak droga, że w praktyce nieosiągalna, dlatego nawet każdy brudny gałgan jest dla nas cenny''.

Tymczasem dotarliśmy do grobów masowych. Na głębokości 5 do 10 metrów stale grzebie się zwłoki, ziemia wydobyta przy kopaniu dołu służy do przysypania trupów w sąsiednim grobie. Zwłoki przywozi się dwukołowymi taczkami. Kobiety i mężczyźni grzebani są w oddzielnych grobach. Gdy podjeżdżają kolejne taczki, podchodzi do nich kilku Żydów, którzy dzięki tej pracy chwilowo pozostają jeszcze przy życiu. Każdy z nich chwyta jakieś zwłoki za głowę i nogi i zależnie od płci wrzuca je jednym zamachem do dołu po prawej lub lewej stronie. Rozlega się wówczas nieprzyjemny dźwięk, który powstaje na skutek uderzenia pustego brzucha o ziemię, jakby rezonans pudła skrzypiec — w najprawdziwszym sensie okropna melodia śmierci.

Widać, że pracujący tu mężczyźni mają ogromną wprawę. Na moich oczach w krótkim czasie pogrzebano ponad sto osób. Co pewien czas rzuca się na warstwę zwłok arkusz papieru i sypie trochę wapna, gdyż Niemcy obawiają się epidemii, która mogłaby ich dosięgnąć spoza murów getta i cmentarza. ,,Tamte kamienie grobowe sprzedają nam Niemcy. Te małe płytki już po kilku dniach rozpadają się na deszczu, ponieważ jest to tylko sprasowany piasek.'' Gdy krewni jakiegoś zmarłego Żyda mogą zapłacić dużą sumę, mówi się o 700 złotych, nabywają sobie prawo do pochowania go w pojedynczym grobie. Zwłoki grzebie się rzeczywiście oddzielnie, ale że ilość miejsca jest ograniczona, a Niemcy nie chcą też stracić dobrego interesu, już wkrótce grzebie się następnego zmarłego w tym samym miejscu. Prowadzi to potem do awantur na cmentarzu, gdyż z czasem kilka rodzin zgłasza pretensje do tego samego grobu.

Cieszę się teraz, że nie zabrałem ze sobą pistoletu. Już sam mundur działa na obecnych odstraszająco. Każdy, kto mnie widzi, ściąga trwożliwie czapkę z głowy. Ten sposób pozdrowienia to pierwsza rzecz, którą Niemcy wpoili albo chcieli wpoić Żydom. Z oczu tych ludzi przemawia strach; gdy odezwę się do któregoś z nich, cofa się trwożliwie albo wykonuje sztywny ukłon. U nas w Szwajcarii sprawia nam już przykrość natknięcie się na pobitego psa w takim stanie, a cóż dopiero mówić o człowieku. Gdy się jednak nieco głębiej spojrzy tym ludziom w oczy, można w nich wyczytać głęboką nienawiść. Mój przewodnik jest jednym z nielicznych, którzy zachowują się inaczej. Sądzę, że jego poziom intelektualny pomaga mu przezwyciężyć poniżenie i upokorzenie. Ale wkrótce pojmuję ów strach, który pojawia się w oczach Żydów na widok munduru. Z miejsca, gdzie znajduje się wejście na cmentarz, docierają do nas przekleństwa w języku niemieckim: ,,Ty przeklęta żydowska świnio, chciałeś coś przeszmuglować?!'' — tyle zrozumiałem i proszę mojego przewodnika, abyśmy wrócili do wyjścia. Wszystko staje się jasne. Oto niemiecki wartownik, który dostał chyba ataku wściekłości i w duchu ,,nowego porządku'' pracuje nad urzeczywistnieniem ,,nowej Europy''. Rozdziela kopniaki i kolbą karabinu okłada stojących wokół niego Żydów. Gdy któryś chce się oddalić, grozi mu rozstrzelaniem. Nie ulega wątpliwości, że uczyniłby to, przecież codziennie rozstrzeliwuje się wiele osób ,,podczas ucieczki''. Jeden z tych, którzy zajmują się przenoszeniem zwłok, został uderzony w głowę, krew spływa mu po czole. Żołnierz spostrzega mnie, ociągając się przerywa swoje brutalne poczynania. Waha się, jak ma dalej postępować. Noszę mundur i buty wojskowe, a więc jestem z pewnością sojusznikiem, z drugiej strony mój ubiór nie jest mu prawdopodobnie znany. Robi zwrot w prawo i pospiesznie opuszcza cmentarz. Czy mam go dogonić i powiedzieć mu, że jest łajdakiem, bo bije bezbronnych ludzi? Czy to z braku odwagi czy z powodu nie dość ugruntowanych przekonań buntuję się wprawdzie wewnętrznie przeciwko takim okropnościom, ale nie potrafię zareagować w jedynie słuszny sposób? Nie, przyczyna jest chyba inna. Chcę przyjść tutaj raz jeszcze, chcę zebrać jeszcze więcej dowodów nowej niemieckiej kultury. Gdybym zbyt wcześnie stracił nerwy, stałoby się to niemożliwe. Jeśli dzisiaj wpadnę w konflikt z władzami okupacyjnymi, nie będę mógł zrobić ani jednego swobodnego kroku w Warszawie. Trzeba więc na razie zacisnąć zęby i opanować się. Ostentacyjnie rozdzielam cały mój zapas cygar i papierosów pomiędzy prześladowanych Żydów. Patrzą na mnie z niedowierzaniem. Z trwającymi dzień i noc prześladowaniami zdążyli się pogodzić, nie dziwi ich już, że dla nich jest tylko bicie, głód i nagła śmierć, ale że może ktoś przyjść i poczęstować ich tytoniem — to wydaje im się nieprawdopodobne.

Mój przewodnik chce mnie poprowadzić dalej, ale moja ciekawość została już na dzisiaj zaspokojona. Chcę wrócić do kolegów, do naszej kwatery, owych paru metrów kwadratowych uczciwości i godności w tej niedoli. Ściskam rękę przewodnika i wstydzę się, że wolno mi opuścić to miejsce grozy jako wolnemu człowiekowi. Ile dałby każdy z tu obecnych za możliwość zamienienia się ze mną rolami tylko na jeden dzień? ,,Do widzenia'' — mówię izraelickiemu architektowi. ,,U nas to nigdy nie wiadomo'' — brzmi jego fatalistyczna odpowiedź. Ten człowiek nie tylko znosi po bohatersku swój ciężki los, ale usprawiedliwia jeszcze swoich współwyznawców, którzy wykazują mniej siły i w panicznym strachu drżą na widok każdego Niemca. Wychodzę na ulicę i widzę wartownika rozmawiającego koło mojej karetki z jakimś podoficerem SS. Z ich gestów wnioskuję, że mówią o mnie. Na szczęście pozwalają mi wsiąść bez nagabywania do wozu, gdyż nie jestem w tej chwili usposobiony do odbycia ,,koleżeńskiej rozmowy''. Powoli oddalam się od miejsca, w którym żywcem pogrzebano 400 tysięcy ludzi.

★ ★ ★

Już wkrótce jesteśmy w pobliżu getta. ,,Jedź do bramy naprzeciwko cmentarza żydowskiego —
zarządza Karl — tamtędy najprędzej dostaniemy się do środka. W mieście jest za duży ruch i tam
bardzo surowo kontrolują''. Decyduję się na znajomą mi, przebytą już raz trasę. Kilkaset metrów
przed bramą do getta spostrzegam przy murze okalającym go grupkę policjantów niemieckich,
którzy zdają się wyśmienicie bawić. ,,Nie widziałeś jeszcze nigdy zasadzki na Żyda? — pyta mnie
Karl — jeśli nie, to zaraz zobaczysz, jak to się odbywa. Mur okalający getto nie jest zbyt gruby, jego
szerokość wynosi dwie cegły. Sami Żydzi to budowali i nie zawsze nazbyt solidnie'' — objaśnia
Karl. ,,Teraz chłopcy żydowscy, którym śmierć głodowa zagląda w oczy, często wybijają u dołu
muru parę cegieł i przez powstałą dziurę wydostają się na miasto, gdzie zawsze można jeszcze
ukraść coś do jedzenia. Patrole niemieckie, kontrolujące teren otaczający getto, zauważają
najczęściej lukę w murze zaraz po wydostaniu się Żyda na zewnątrz, szczególnie wtedy, gdy
niezbyt starannie została zasłonięta przez uciekiniera. Niemieckie organy kontrolne strzegą teraz
dokładnie tego miejsca i czekają na powrót grzesznika. Gdy ten ma szczęście i może w jakiś sposób
zdobyć coś do jedzenia, obwiązuje swój łup najczęściej wokół ciała, gdyż przechodnie, którzy
poruszają się po ulicy z paczką lub workiem, nigdy nie mogą być pewni, czy nie zostaną
zrewidowani przez policję niemiecką. Często więc zdarza się — opowiada mi dalej Karl — że
uciekinier podczas swojej wyprawy na miasto tak znacznie przybrał na tuszy, że z wielkim trudem
przeciska się potem przez dziurę w murze. I na tę właśnie chwilę czeka nasza żandarmeria.
Tkwiący w dziurze Żyd zostaje teraz odpowiednio potraktowany z obydwu stron gumową pałką albo
kolbą karabinu i chęć do szmuglowania przechodzi mu po wieczne czasy, co po prostu znaczy, że
zostaje najczęściej zabity''.
Tymczasem zatrzymałem samochód koło śmiejącej się grupy. Faktycznie mają tam Żyda, który
wpadł w zastawioną na niego pułapkę. Nie mogę stwierdzić, w jakim jest wieku, ponieważ widać
jedynie dolną część jego ciała. Do połowy udało mu się już prześlizgnąć przez otwór w murze, ale
chyba kartofle umieszczone pod bluzą, dookoła ciała, przeszkadzają mu teraz w przeczołganiu się
na drugą stronę. Trzej policjanci niemieccy zabawiają się biciem nieszczęsnego uciekiniera
kolbami karabinów po tyłku, co ten kwituje żałosnymi okrzykami, które dochodzą z drugiej strony
muru. Nasz przemytnik ma szczęście, bo wewnątrz getta nie ma Niemców, a ci, którzy znajdują się
na zewnątrz, nie ciągną go za nogi z powrotem w swoją stronę. Trzej niemieccy żandarmi zdają się
być w wyśmienitych humorach i zamierzają poprzestać na jednym tylko, co prawda brutalnym
,,biegu przez rózgi''. Bity Żyd wykazuje mimo okropnego bólu jakąś nadludzką siłę. Nagłe
szarpnięcie i tylna część bluzy, bardzo już zresztą zniszczonej, wraz z kartoflami pozostaje na
zewnątrz muru, a po wewnętrznej stronie umyka w bezpieczne miejsce pozbawiony owoców swojej
wyprawy i części odzieży nieszczęśnik. Żandarmi wyrażają wobec nas żal, że żydowski nicpoń tak
szybko pozbawił ich przyjemności. Jeden z nich rusza zaraz w drogę, żeby wziąć jakiegoś Izraelitę
i nakazać mu zamurowanie ,,pułapki na Żyda''. A ja jadę dalej w kierunku pobliskiego wjazdu do
getta. Gdy tam podjeżdżamy, widzimy, jak wypełnione zwłokami wózki ręczne ciągną na cmentarz
żydowski. Ponieważ jest jeszcze wcześnie, będziemy mogli zobaczyć na własne oczy, jak zbiera się
z ulicy getta zwłoki zmarłych z głodu. ,,Czy macie przepustkę?'' — zwraca się wartownik do mojego
współtowarzysza. Na szczęście nie jest to ten sam wartownik, który kontrolował mnie podczas
wizyty na cmentarzu żydowskim, bo mógłby uznać, że jako Szwajcar wykazuję zbyt wiele
zainteresowania ,,rozwiązaniem'' kwestii żydowskiej. ,,Po co dokument? — odpowiedział Karl ze
spokojem — muszę zabrać stąd karetką meble, które mogą być jeszcze przydatne dla nas
chrześcijan''. Wartownik zastanawia się przez chwilę, po czym woła swego kolegę, żeby omówić
z nim sprawę. ,,Wal do przodu'' — szepce mi Karl, a przez okno woła do obydwu naradzających się
Niemców: ,,Zaraz będziemy tu z powrotem, będziecie wtedy mogli sprawdzić nasz ładunek''.
Zwalniam sprzęgło, dodaję gazu i na razie wydaje się, że nasza akcja powiodła się. ,,Nie trzeba
zadawać zbyt wiele pytań — mówi Karl bardzo z siebie zadowolony — zapamiętaj sobie, wóz
Czerwonego Krzyża jest najlepszą przepustką, z jego pomocą pokonasz każdą przeszkodę, dlatego
jest taki cenny''.
Czuję się dziwnie przygnębiony, gdy jadę teraz między szarymi domami getta, mam też wrażenie,
że mój towarzysz odczuwa to samo. Gdziekolwiek kieruję wzrok, wszędzie napotykam ciche,
milczące oskarżenie. W rynsztokach i na chodnikach leżą ludzkie zwłoki — nagie i wyniszczone
przez głód. Obok siedzą albo stoją żywi, którzy niewiele różnią się od umarłych — wychudzeni,
z twarzami szarego, niezdrowego koloru. W bocznych uliczkach siedzą apatycznie przed domami

kobiety i dzieci, spoglądają na nas wzrokiem nie wyrażającym ani nienawiści, ani prośby. Ich obojętność działa mi bardziej na nerwy niż jakiekolwiek najostrzejsze oskarżenie. Natomiast na głównej ulicy tłum ludzki pędzi bez celu przed siebie, bez żadnego wytchnienia, jak gdyby był stale popędzany biczem. Pomimo silnego lutowego mrozu prawie wszędzie okna i drzwi są pootwierane, tutaj nie ma to już jednak żadnego znaczenia. Opału i tak brakuje, a szyby zostały powybijane w wielu domach jeszcze w czasie działań wojennych.

Widać matki z małymi dziećmi, które leżą bez ruchu obok albo na kolanach matek. Nie wiem, czy już nie żyją, czy też może matki czekają dopiero na ich śmierć. Nagle w grupie stojących postaci zapanowało ożywienie. Wyniesiono z budynku zwłoki kobiety i ułożono je na chodniku. Chcę zatrzymać karetkę, ale mój współtowarzysz zabrania mi: ,,W żadnym razie nie wolno zatrzymywać się! Jedź powoli dalej!'' Obserwuję, jak mężczyźni, kobiety i dzieci krążą wokół zwłok jak drapieżne zwierzęta. W mgnieniu oka ciało zmarłej kobiety zostało pozbawione odzieży i wrzucone do rynsztoku. Zabrano jej szal i koszulę, które miała na sobie. Niesamowite wrażenie sprawia to nagłe ożywienie się i szybki powrót do ogromnej, przejmującej obojętności. Tutaj wyrzuca się zwłoki przez okno, tutaj przechodzi się między lub ponad zwłokami i ewentualnie spychą się je do rynsztoku, jeśli zbyt przeszkadzają. Mieszkańcy getta przyglądają się obojętnie, jak zwłoki ludzkie wrzuca się niczym zdechłe psy na taczki, i liczą się z tym, że jutro może ich spotkać ten sam los. Ale to jest przecież zrozumiałe; tylko silne jednostki potrafią jeszcze zachować godność i człowieczeństwo na tym ogromnym cmentarzysku, jakim jest całe getto. Dla ludzi słabych i wrażliwych życie dawno już się skończyło. ,,Ależ to jest świństwo — słyszę obok głos mojego współtowarzysza — jedź teraz za tym tramwajem, a potem skręć w prawo, do najbliższego wyjścia''.

Obraz getta zdaje się być także dla żołnierza niemieckiego ze starszej generacji nie do zniesienia. ,,A co będzie, jak nas zatrzyma wartownik?'' — pytam Karla patrząc cały czas przed siebie, bo czuję, że cierpi z powodu oglądanych okropności. ,,Jedź szybciej, jakoś przejedziemy''. Wartownik rzeczywiście schodzi na bok i przepuszcza nas. Okazuje się więc, że także tutaj, w getcie, znak Czerwonego Krzyża na naszym samochodzie toruje nam drogę, umożliwiając poznanie cierpień przedstawicieli rodzaju ludzkiego, do którego Żydzi należą.

IZAAK CELNIKIER, *Nasze kobiety*, af. at., 1984

Na oczach świata

MARIA KANN

Broszurę opracowano na podstawie następujących dokumentów i materiałów:
1. Referat Ż. przy DR — Komunikaty i depesze organizacji żydowskich; listy, relacje i sprawozdania działaczy żydowskich;
2. Zestawienia i sprawozdania z przebiegu akcji w ghetcie; relacje Żydów zbiegłych z ghetta;
3. Prasa Polski Podziemnej.

WYDAWNICTWO K.O.P.R.
Złożono i odbito 2.100 egz. w drukarni ,,Wolność"   *Warszawa 1943 r.*

— WOŁAMY WOBEC CAŁEGO ŚWIATA — NIECH JUŻ TERAZ A NIE W MROKACH PRZYSZŁOŚCI DOKONA SIĘ POTĘŻNY ODWET NA KRWIOŻERCZYM WROGU. NIECH NAJBLIŻSI NAM SPRZYMIERZEŃCY UŚWIADOMIĄ SOBIE ODPOWIEDZIALNOŚĆ ZA BEZCZYNNOŚĆ WOBEC ZBRODNI NAD BEZBRONNĄ LUDNOŚCIĄ. NIECH BOHATERSKI OPÓR ŻYDÓW POBUDZI ŚWIAT DO DZIAŁANIA W TEJ SPRAWIE NA MIARĘ WIELKOŚCI CHWILI.

Tak brzmiała depesza wysłana przez przedstawicielstwo wszystkich organizacji żydowskich w Kraju. Depesza dotarła na brzeg. Ale pomoc nie nadeszła. Widać nie wybiła jeszcze godzina odwetu... Próżno czekano na odsiecz. Mijały dnie i tygodnie. Aż przyszła noc, kiedy nad Warszawą zawisł ciężki oddech sowieckich bombowców.

Z ghetta zabłysły światła: ratujcie nas.

Ale z nieba zaczęły padać ciężkie pociski — na Śródmieście, na Mokotów, Ochotę, na parę punktów ghetta... Domy mieszkalne rozsypywały się jak zabawki. W gruzach ginęło tysiące osób.

Kogo chciały ukarać Sowiety za rzeź w ghetcie? Ukarały tych, którzy będąc sami w najcięższej niedoli, z narażeniem własnego życia nieśli pomoc cierpiącym.

Bo przecież tylko Polacy, tylko Polska czyniła wszystko, co było w jej mocy, aby ulżyć niedoli, ratować mordowanych.

Rząd Rzeczypospolitej, który otrzymał z Kraju wiadomość o rzezi i o bohaterskiej obronie, uczynił wszystko, aby spowodować pomoc dla Żydów.

Dnia 5 maja Premier Rządu Polskiego gen. Sikorski wygłosił przez radio londyńskie przemówienie do ludności Kraju. W sprawie obrony ghetta powiedział Naczelny Wódz:

...,,wybuchy bomb, strzały, pożary trwają dzień i noc. Dokonuje się największa zbrodnia w dziejach ludzkości. Wiemy, że pomagacie umęczonym Żydom, jak możecie. Dziękuję wam, rodacy, w imieniu własnym i rządu. Proszę was o udzielenie im wszelkiej pomocy, a równocześnie o tępienie tego strasznego okrucieństwa''.

A w Kraju?

Pełnomocnik na Kraj Rządu Rzeczypospolitej Polskiej w tej sprawie oświadczył, co następuje:

...,,Naród polski, przepojony duchem chrześcijańskim, nie uznający w moralności dwóch miar, z odrazą traktuje antyżydowskie bestialstwa niemieckie, a gdy w dniu 19 kwietnia w ghetcie warszawskim rozgorzała nierówna walka, z szacunkiem i współczuciem traktował mężnie broniących się Żydów, a z pogardą ich niemieckich morderców. Kierownictwo polityczne Kraju dawało wyraz najgłębszego potępienia przeciwżydowskich bestialstw niemieckich i słowa tego potępienia dziś — z całym naciskiem — ponawia. A społeczeństwo polskie słusznie czyni, żywiąc dla prześladowanych Żydów uczucie litości i okazując im pomoc.

Pomoc tę winno okazywać w dalszym ciągu''.

Nie może jednak Polska nic więcej uczynić — niż czyni.

Tak samo jak nie może dziś ratować swych synów najlepszych ginących w Oświęcimiu, Majdanku, masakrowanych na Pawiaku, mordowanych planowo po wsiach Lubelszczyzny, Radomskiego, Kielecczyzny, Krakowskiego i w całym Kraju. Tak jak nie może ratować chwytanych na ulicach miast i rozstrzeliwanych za niepopełnione winy.

Każdy dzień niesie nowe coraz straszliwsze straty. Broniąc w miarę sił własnych obywateli, Polska może w tej chwili tylko wołać o ratunek.

I ta broszura będąca dokumentem — jest także wołaniem do sumienia świata.

W PRZEDEDNIU

Już od lutego wypadki w ghetcie zaczęły wskazywać, iż Niemcy myślą o ostatecznej likwidacji Żydów.

Wypróbowanym w ciągu wieków sposobem podzielili Niemcy Żydów na dwa wrogie obozy. Żydzi pracujący w tzw. szopach, czyli warsztatach i fabrykach, które mieściły się przeważnie w obrębie małego ghetta, mieli możliwe warunki bytu i „kartę na życie", czyli zapewnienie, iż nie będą zamordowani. Dobre warunki miała żydowska służba porządkowa — milicja, która wysługiwała się Niemcom, licząc zapewne na to, iż w ten sposób ocalą życie sobie i najbliższym. Bogaci Żydzi, którzy pozostali w obrębie murów, zdobywali sobie za pieniądze możność egzystowania.

Do drugiego obozu żydowskiego należała większość mieszkańców dużego ghetta, gdzie, prócz nielicznych zatrudnionych grup i ludzi zamożnych, tłoczyła się wielka liczba nie zarejestrowanych, bezrobotnych Żydów, skazanych na zagładę. Ci bezrobotni Żydzi, jako nie rejestrowani, nie byli wliczani do oficjalnie podawanej liczby 40.000 osób, które pozostały po zeszłorocznej „akcji", kiedy to Niemcy wymordowali 300.000 mieszkańców ghetta.

Dlaczego Niemcy nie wymordowali wówczas reszty Żydów warszawskich?

W ghetcie mieściły się wojskowe zakłady, fabryki i warsztaty: kuśnierskie, stolarskie, szczotkarskie, odzieżowe i inne. Z większych zakładów należy wymienić: Többensa, Bauera, Hoffmana, Schultza, K.P. Schultza, które zatrudniały od kilku do kilkunastu tysięcy robotników. Te zakłady były wojsku potrzebne. Dlatego też wojsko chciało jak najdłużej wykorzystywać robocze siły żydowskie. Gestapo natomiast — wbrew interesom wojska — dążyło do jak najszybszego zlikwidowania znienawidzonych Żydów. Z tarć i walk pomiędzy sferami wojskowymi i politycznymi powstał wreszcie kompromis, mocą którego postanowiono wywieźć fabryki i robotników do Poniatowa i Trawnik, a resztę bezrobotnych i niepotrzebnych do Bełżca i Treblinki — na śmierć.

Akcję wywiezienia robotników wykwalifikowanych powierzono właścicielowi największych „szopów" w ghetcie i panu 12.000 żydowskich niewolników Walterowi Többensowi, o którym krążyły wieści, że jest kuzynem Goeringa. W zakładach Többensa i we wszystkich innych fabrykach rozpoczęto natychmiast akcję, zmierzającą do wywiezienia Żydów bez oporu z ich strony. Na wiecach robotników i kierowników warsztatów opiewano przyszłe wspaniałe życie w Trawnikach i Poniatowie. Tam czekały na żydowskich robotników: spokojna praca i dobre warunki na świeżym powietrzu. Warsztaty miały być pod kontrolą Reichswehry, a więc niezależne od wybryków Gestapo.

Jako pierwsze miały być przeniesione zakłady stolarskie Halmana. Około 20 lutego zabrano maszyny.

Wtedy stolarze rozbiegli się w popłochu, a fabrykę podpalono. Wojsko nie zastosowało żadnych represji. Dla uspokojenia umysłów pozostawiono 100 stolarzy i obiecano, iż akcja wysiedleńcza nie jest już aktualna. Pomimo tych obietnic z fabryki odzieżowej Schultza, która zajmowała wielki blok domów od Nowolipia do Nowolipek i zatrudniała 8.000 robotników, wywieziono oddział kuśnierzy do Trawnik. Potem rozpoczęły się transporty z zakładów Többensa, które mieściły się przy ulicy Leszno, Świętojerskiej i na Prostej. Z Prostej zabrano 2.500 osób do Poniatowa.

W zakładach Többensa pracował element robotniczy nastrojony bardzo lojalnie do władz niemieckich. Dlatego też Többens był pewien swego wpływu na robotników i sądził, iż uda mu się przeprowadzić akcję pomyślnie. Nie ocenił jednak wpływów Żydowskiej Organizacji Bojowej, która działała w porozumieniu z polskimi czynnikami niepodległościowymi, oraz ŻOŻ, współpracującej z komunistami.

ŻOB już od dawna przygotowywała się do obrony pod czujnym okiem niemieckich dozorców. Skupowano broń, budowano bunkry i schrony, organizowano oddziały systemem szóstkowym. Agitacja za wyjazdem wykwalifikowanych robotników obudziła niepokój wśród bojowców, którzy postanowili nie dopuścić do wyjazdu.

Na ulicach ghetta zaczęły coraz częściej zdarzać się zbrojne utarczki pomiędzy Żydami a Niemcami i Ukraińcami. Odbito z fabryki Schultza 30 „sabotujących" robotników, osadzonych w więzieniu, które to więzienie było prywatną własnością fabryki. Coraz częściej też bojowcy karali śmiercią swych zdrajców — żydowskich gestapowców i donosicieli. Zabito między innymi dr. Alfreda Nossiga — 80-letniego starca, który chronił swój dom taką wizytówką: dr. Nossig — współpracownik Gestapo. Żandarmeria rozpoczęła akcję odwetową: wywlekano Żydów z domów i rozstrzeliwano od razu na miejscu, rozstrzelano część Żydów na Pawiaku. Jednocześnie trwała gwałtowna akcja uspokajania Żydów, obietnice sypały się gęsto i coraz bardziej zachęcające.

Wyraźnie starano się w umysłach Żydów wyrobić pojęcie, że istnieją dwie kategorie Żydów: wykwalifikowanych, potrzebnych narodowi niemieckiemu, i tym Żydom nie groziło nic — przeciwnie, wyjazd otwierał przed nimi nowe możliwości pracy i dotrwania do końca wojny — i druga kategoria Żydów, dla których należało mieć pogardę, bo to byli starzy lub chorzy, nikomu niepotrzebni, obciążający tylko zdrowe żydowskie społeczeństwo. Zdarzało się, iż na ulicy jakiś Niemiec — cywil — uderzał starego Żyda w twarz i wołał: „Tacy są nam niepotrzebni! Precz z darmozjadami. Wy, robotnicy, znajdziecie u nas pracę i opiekę".

Dla uspokojenia wzburzonych umysłów zjechał do ghetta sam referent Gestapo spraw żydowskich — Brandt, aby oznajmić, że „wysiedlenia są już skończone, należy teraz zająć się pracą"!

Tak to po niemiecku — jedną ręką ofiarowywano pracę i spokój, a drugą śpiesznie przygotowywano krematoria.

Robotnicy wahali się. Agenci byli wymowni, ale równocześnie plakaty Żydowskiej Organizacji Bojowej informowały o prawdziwych zamiarach złotoustych agentów Gestapo. Szybko rozchodziły się wieści o tym, iż bojownicy nakładają haracz na bogaczy, aby kupować broń i budować schrony: „Członkowie Judenratu zapłacili ćwierć miliona złotych! Musieli zapłacić, bo zagrożono im wzięciem zakładników"! Takie wieści budziły sympatie dla bojowców i część robotników zaczęła także organizować się szóstkami. Szeregi Organizacji Bojowej zapełniały się i w kwietniu liczyły około 3.000 ludzi zorganizowanych, lepiej lub gorzej uzbrojonych.

Transporty szły, ale opornie. Rozchodziły się wieści o tym, że robotnicy nie dojeżdżają do miejsca przeznaczenia, że bagaże giną zaraz na stacji. Bojowcy potwierdzili te wiadomości w ulotkach i plakatach, zapowiadając, iż transporty są początkiem ostatecznej likwidacji Żydów. Odezwy organizacyjne wisiały na murach i nikt ich nie zrywał. Przeciwnie, Többens polemizował z bojowcami, rozlepiając odpowiedzi tuż obok. Ta niezwykła ugodowość była podyktowana obawą otwartego buntu i świadomością siły, jaką reprezentowali bojowcy. Oto jedna z odpowiedzi Többensa, która świetnie charakteryzuje niemieckie metody walki słownej: zakłamanie posunięte do ręczenia za kłamstwo słowem honoru, zjednywanie obietnicami, których nigdy się nie spełnia, i podważanie autorytetu wroga przez rzucanie na niego oszczerstw:

Do żydowskich pracowników zbrojeniowych dzielnicy żydowskiej
Komenda Organizacji Bojowej rozplakatowała w nocy z 14 na 15 marca odezwę, na którą chcę wam odpowiedzieć:
Stwierdzam kategorycznie, że:
1) o akcji wysiedleńczej w ogóle nie ma mowy;
2) ani panu Schultzowi, ani mnie nikt nie kazał pod groźbą rewolweru przeprowadzić takiej akcji;
3) stwierdzam kategorycznie, że ostatni transport nie przepadł. Jest ubolewania godne, że pracownicy zbrojeniowi pana Schultza nie poszli za dobrze pomyślanymi jego radami. Ubolewam z tego powodu, że musiałem wkroczyć i przenieść jeden z warsztatów, ażeby wykorzystać istniejące możliwości transportowe. Zostało zarządzone, aby nazwiska robotników, którzy przybyli do Trawnik, zostały natychmiast ustalone i aby ich bagaż był przenoszony wraz z nimi.
Utrzymywanie, jakoby eskorta drugiego transportu z ul. Prostej do Poniatowa nie wiedziała, co się stało z transportem, jest nikczemnym jątrzeniem robotników zbrojeniowych i najordynarniejszym kłamstwem. Członkowie eskorty pozostają wszyscy na miejscu, odprawili pociąg, a poza tym przyjeżdżali tu w międzyczasie wielekroć autami ciężarowymi razem z robotnikami z Poniatowa, aby sprawdzić sprzęt itp. Bagaże — nie odeszły z ulicy Prostej i pozostają pod opieką Żyda, inż. Lipszyca, który jest gotów w każdej chwili udzielić o tym informacji. Bagaże odejdą w następnym transporcie do Poniatowa. W Trawnikach i Poniatowie każdy robotnik otrzymał i zachowuje swój całkowity bagaż i własność osobistą.

Żydowscy robotnicy zbrojeniowi! Nie wierzcie tym, którzy chcą was wprowadzić w błąd. Chcą was podniecić, aby spowodować skutki, które są nie do uniknięcia.

W „schronach" nie ma żadnego bezpieczeństwa i życie nie jest możliwe, podobnie jak i w dzielnicy aryjskiej. Sama niepewność i bezczynność rozbije moralnie przyzwyczajonych do pracy robotników zbrojeniowych. Zapytuję was, dlaczego sami przychodzą do mnie bogaci Żydzi z dzielnicy aryjskiej, aby mnie prosić o przyjęcie do pracy: mają dość pieniędzy, aby żyć w dzielnicy aryjskiej, ale nie są w stanie tego wytrzymać.

Z pełnym przekonaniem mogę wam tylko znów poradzić: jedźcie do Trawnik, jedźcie do Poniatowa, gdyż tam jest możność życia i tam przetrwacie wojnę. Komenda Organizacji Bojowej nie pomoże wam, dając tylko czcze obietnice. Sprzedają wam za grube pieniądze miejsce w schronie, potem was znów wygonią na ulicę i pozostawią własnemu losowi.

Sami już macie dość doświadczenia z oszukańczymi chwytami. Wierzcie tylko niemieckim kierownikom zakładów, którzy chcą razem z wami prowadzić produkcję w Poniatowie i Trawnikach. Zabierajcie ze sobą swoje żony i dzieci, gdyż dba się także i o nie!

Walter C. Többens jako pełnomocnik do przesiedlenia
Warszawa, 20.III.43.   *przedsiębiorstw dzielnicy żydowskiej w Warszawie*

Część robotników uwierzyła tym zapewnieniom. Może zresztą i nie wierzyła, tylko nie miała dość siły i energii, aby przeciwstawić się brutalnej woli niemieckiej. Byli to nędzarze, nie mający pieniędzy ani na zakup broni, ani na żywność. Nie mieli oni żadnej nadziei na ocalenie. Wybrali wyjazd. Pierwszy transport robotników wyjechał do Poniatowa i pracował tam w dobrych warunkach. Niemcy pokazywali ich tak ostentacyjnie, iż budziło to niepokój. Następny transport z firmy Többens odbył się już pod eskortą Werkschutzu. Többens, który nie zebrał z Prostej wystarczającej liczby ludzi do transportu, kazał łapać robotników wchodzących do fabryki i zabierać na Umschlagplatz, skąd ładowano ich do wagonów. Jak pisze jeden z informatorów, „tłumaczył on swe postępowanie karaniem nieposłusznych dzieci..."

W innych „szopach" zaczęto brać także robotników już bez ich zgody i bez bagaży, zdarzyło się to nawet pracownikom Ostbahnu.

Tuba propagandowa nie przestawała ryczeć. Ba, ryczała coraz głośniej, aby zagłuszyć niepokój żydowskiego społeczeństwa. Ogłaszano „ostateczne terminy" wyjazdu, co powodowało napływ naiwnych, którzy obawiali się, iż pozostaną bez pracy w ghetcie. Niemcy wystawiali na pokaz kuchnie polowe, które niby to miały jechać wraz z transportem, gromadzili personel sanitarny, usuwali żandarmerię,...

I transporty jechały. Ale w ghetcie utrwalało się przekonanie, iż likwidacja jest nieunikniona i że w Warszawie pozostanie tylko dziesięć tysięcy ludzi skoszarowanych na Powązkach. A reszta ludności będzie wywieziona do obozów śmierci.

Nastrój paniki wzmagał się z każdą chwilą, rozruchy zwiększały jeszcze i tak wielką śmiertelność w ghetcie, która wynosiła 2 procent miesięcznie.

Jakie były nastroje wśród tłumów żydowskich, wykazuje jedna z relacji, z której wyjątek zamieszczamy:

„...Zaroiło się od różnych kombinatorów, pośredników, można wstrzymać dalszą wysyłkę, uchronić przed nią wielu, ale trzeba dać okup. Zróbcie składkę. Zróbcie subskrypcję! Zaczęto szturmować do Gminy, a przez nią do możnych, do posiadaczy resztek magnackich niegdyś fortun. Dobijano targu, gdy nagle z pierwszego wywiezionego „na roboty" pociągu zbiegło kilkunastu Żydów. Przynieśli oni wieści o okropnej prawdzie. Transportowi wywiezionemu bardzo niedaleko z Warszawy kazano kopać doły, a następnie rozstrzelano ich nad tymi dołami z karabinów maszynowych. W dniu 20 kwietnia, dniu urodzin Hitlera, miała być w ten sposób zlikwidowana reszta Żydów warszawskich. Zakotłowało się znowu na ulicach ghetta. Urwał się targ o okup. Kein Geld! Kein Mensch! padło hasło, rzucane przez prowodyrów, sprawujących rząd dusz w żydowskich masach i dysponujących funduszami. Ulotnili się łapownicy, pośrednicy, opustoszał punkt wysyłkowy. Nikt już więcej nie zgłosił się na wyjazd. Wszyscy mężczyźni znikli z ulic. Gestapo zaczęło wywlekać tylko kobiety i dzieci, gromadząc je jako zakładników na kirkucie i każąc im kopać doły".

Widząc, że odezwy i defilady kuchen polowych przez ghetto nie działają na ludność, Niemcy spróbowali trafić do Żydów przez Gminę żydowską.

Na żądanie Niemców Rada Żydowska usiłowała opanować sytuację. Zwołano w tym celu tajne

60

posiedzenie, na które zaproszeni zostali ludzie związani z Żydowskim Komitetem Narodowym. Na tym zebraniu ze strony Rady został wysunięty projekt współdziałania Rady z tajnym przedstawicielstwem narodu żydowskiego. Propozycja ta została odrzucona. Współpraca była niemożliwa, ponieważ Rada miała na sumieniu morze krwi żydowskiej.

Niemiecka próba opanowania społeczeństwa żydowskiego poprzez Radę nie udała się. Była to już ostatnia próba.

Tegoż dnia odbyło się w ghetcie drugie zebranie: przedstawicieli ŻOB*. Na tym zebraniu zapadło postanowienie: jeśli Niemcy rozpoczną masowe wywożenie Żydów, bojownicy żydowscy przeciwstawią się temu zbrojnie.

ŚLADAMI BAR-KOCHBY

Osiemnaście wieków temu w ciasnym wąwozie pod Kafarnaum garstka Żydów pod wodzą Bar--Kochby stawiła desperacki opór rzymskim legionom. Do dziś istnieje w tym wąwozie twierdza wykuta rękoma ostatnich wojowników żydowskich. Ostatnich, — bo przez osiemnaście długich stuleci Żydzi jako naród nie walczyli orężnie. Prowadzili żywot tułaczy, byli komornicą narodów. I jak komornicy nie przywiązywali się do dachu, który ich chronił, bo nie mieli własnego domu, nigdzie nie byli prawymi gospodarzami.

Wyrzucani z jednych krajów, chronili się do innych. Poniewierani, bronili się ucieczką, pieniędzmi, podstępem. Nigdy bronią.

Wypadki, kiedy przelewali krew za kraj, który ich przygarnął, należały do wyjątków. Berków Joselewiczów nie było wielu.

Kiedy zamknięto Żydów w ghetcie pomimo całego współczucia trudno było oprzeć się uczuciu zgrozy: część Żydów wymierała z głodu na ulicach, zamieniając się w żywe szkielety; innym nie brakowało za murami niczego, prócz wolności.

Przyszła pierwsza fala likwidacji ghetta. Na rzeź poszły tysiące, biernie, bez oporu. Jeden szczeniak niemiecki prowadził setki ludzi i nikt z nich nie odważył się skoczyć mu do gardła!

Kiedy jeden z Żydów szukał w ghetcie dziesięciu, aby stworzyć bojówkę, nie znalazł ich... Każdy zagadnięty miał żonę, dzieci, obowiązki, każdy posiadał jakieś zabezpieczenie. Nikt nie chciał ginąć za innych.

Nie znalazło się wtedy dziesięciu sprawiedliwych w tym mieście skazanym na zagładę.

Tak było rok temu. Ale pod wpływem nadludzkiej, straszliwej męki Żydzi zrozumieli, że śmierć nie jest najważniejsza, że dużo ważniejszą jest sprawa: jak się umiera i za co?

Dlatego też, kiedy przyszła godzina drugiej i ostatniej likwidacji ghetta, bojowcy żydowscy zdecydowali w imieniu całego społeczeństwa żydowskiego, iż umrą z bronią w ręku.

Nie mieli oni złudzeń co do zakończenia desperackiej walki. Żydzi musieli zginąć, ale nie śmiercią nędzną nikomu niepotrzebną, tylko śmiercią w obronie godności ludzkiej i własnego honoru.

Postanowili iść śladami Bar-Kochby.

Oczekiwane w napięciu wypadki nadeszły w dniu 18 kwietnia. Na wyraźny rozkaz Berlina termin ostatecznej likwidacji ghetta został przesunięty z dnia 30 maja na 18 kwietnia. Getto miało być zlikwidowane na imieniny Führera.

Do akcji likwidacyjnej wyznaczono: batalion policji niemieckiej oraz oddział policji „granatowej". Niemcy mieli działać w obrębie murów, zadaniem „granatowych" było pilnować, aby żaden z Żydów nie uniknął losu wyznaczonego mu przez wodza Niemiec. Silniejszego oporu ze strony Żydów nie przewidywano. Lokalne zamieszki postanowiono uspokoić w ciągu jednego dnia.

Dowódca Schutz-Polizei wyznaczył początek akcji na godzinę 0.30. W nocy, zgodnie z planem, granatowa policja obstawiła ghetto, a batalion policji niemieckiej wkroczył bramą nalewkowską na Nalewki. Niespodziewanie dla Niemców z domów przy ulicy Nalewki 18, 20, 25, i 27 padły strzały z broni maszynowej. „Dzielny" batalion w popłochu wycofał się natychmiast za mury. Akcja została wstrzymana do świtu.

---

*) ŻOB była emanacją bojową Żydowskiego Komitetu Narodowego i Bundu, zjednoczonych w Żydowskiej Komisji Koordynacyjnej.

Rano 19 kwietnia na murach ghetta zawisły odezwy, wzywające Żydów do zbrojnego oporu. Czyjeś ręce wypisały hasło: Zginąć z honorem!

Posłuszni wezwaniu, zbrojni bojowcy obstawili ghetto, które stało się obronną twierdzą: wojna żydowsko-niemiecka rozpoczęła się.

Na Nalewkach, przy placu Muranowskim urzędował niemiecki sztab wojenny. Rozstawiono stoły, na nich plany ghetta, podziemi, kanałów. Pod osłoną czołgów i samochodów pancernych oficerowie obradowali i porozumiewali się telefonicznie z Warszawą.

Pierwsze natarcie na ghetto było słabe i wyglądało na próbne. W godzinach popołudniowych przybył następny batalion i wtedy rozpoczęła się akcja w rejonie ulic: Smoczej, Gęsiej i Lubeckiego. Niemcy usiłowali przełamać opór Żydów zwykłą metodą zastraszenia. Łudzili się, iż ci, którzy nie walczyli przez osiemnaście stuleci i dotąd pozwalali robić ze sobą wszystko, nie znajdą dość siły i ducha oporu, aby przeciwstawiać się woli niemieckiego narodu, narodu panów. Zwłaszcza, że walka była przecież beznadziejna, a wynik jej, z góry przesądzony.

Próba zastraszenia nie udała się i Niemcy mieli okazję stwierdzić, iż opór został przez Żydów przygotowany.

Obrońcy posiadali niemieckie uzbrojenie i zbudowali umocnienia — bunkry. Stwierdzono tego dnia kilka główynch punktów oporu. Grupowały się one dokoła bloków:

1) blok domów Muranowska — plac Muranowski — Bonifraterska — Franciszkańska;

2) blok domów — Franciszkańska — Bonifraterska — Świętojerska — Nalewki;

3) blok domów — Plac Muranowski — Nalewki;

4) blok domów — Dzika — Gęsia.

Po stwierdzeniu, iż Żydzi potrafili stworzyć z ghetta obronną twierdzę, nie pozostało Niemcom nic innego, jak rozpocząć regularne oblężenie i zdobywać dom po domu.

Natarcia bronią pancerną nie dały Niemcom spodziewanych rezultatów. Bilitzkrieg nie udał się nawet w ghetcie. Czołgi wprowadzone przez bramę Nalewkowską zostały obrzucone granatami, butelkami z benzyną i wycofały się ze stratami nie wykonawszy zadania. Niepowodzenie spotkało również atak czołgów przy ulicy Franciszkańskiej, gdzie Żydzi zbudowali barykadę.

Drugiego dnia walk Niemcy sądzili, że Żydzi mają już dość wybuchów, strzałów i ataków broni pancernej i postawili ultimatum. ,,Ultimatum'' zawierało rozkaz natychmiastowego złożenia broni i zdania się na łaskę i niełaskę zwycięzcy. W przeciwnym razie ghetto miało być zrównane z ziemią, a członkowie gminy wzięci jako zakładnicy i rozstrzelani natychmiast.

Żydowska Organizacja Bojowa zlekceważyła sobie ultimatum i nie odpowiedziała ani na to wezwanie ani na następne. Los członków Gminy był dla bojowców obojętny. Sprawiedliwie było, iż taką właśnie nagrodę otrzymują z rąk Niemców za gorliwe zjednywanie wśród Żydów posłusznych wykonawców niemieckiej woli. A zrównanie ghetta z ziemią też nie mogło przerazić tych, którzy byli skazani na śmierć.

Walka zawrzała na nowo. Żydzi nie ograniczali się do obrony. Oni to zaatakowali Niemców przy ulicy Zamenhofa i odepchnęli ich z zajmowanych pozycji, obsadzając zajętą ulicę. Oni zaatakowali oddziałek SSmanów idących Lesznem.

Cóż to był za widok, kiedy przedstawiciele ,,narodu panów'' szli bezbronni eskortowani przez paru Żydów ubranych w zdobyczne hełmy niemieckie! Takich momentów było wiele w pierwszych dniach walk. Niemcy posuwali się powoli naprzód, zdobywając z trudem dom po domu.

Żydzi walczyli z odwagą straceńców. Ktokolwiek miał broń, drogo sprzedawał swoje życie. Widziano młodego chłopca obsługującego rkm. Pomimo postrzału w nogę nie zaprzestał ostrzeliwania i siał kulami w atakujących. Następne rany nie wytrąciły mu także broni z ręki. Naraz zachwiał się i spadł nie wypuszczając rkm: otrzymał postrzał w serce.

Obok mężczyzn widziano walczące kobiety. Były jak lwice, którym odebrano małe. Widziano też starców i dzieci, których złapano z butelkami w ręku. Kiedy Niemiec rzucił jedną z butelek na szalet miejski, ten stanął natychmiast w płomieniach.

Miejscem najzaciętszych walk była ulica Miła, a zwłaszcza jej odcinek od Nalewek do Zamenhofa, następnie ulica Wołyńska i Muranowska. Co chwila zajeżdżały tam karetki Czerwonego Krzyża, zabierając rannych i zabitych Niemców.

Początkowo Niemcy starali się zlokalizować walki do terenu tzw. dużego ghetta, tłumacząc pracownikom ,,szopów'' zamieszkałym w małym ghetcie, że ,,akcja'' nie dotyczy wcale robotników. Kiedy jednak ,,pokojowe'' słowa zamieniły się w zbrojne czyny, a Żydom z ,,szopów'' kazano wyjeżdżać do Trawnik i Poniatowa, część robotników zbuntowała się także. Należeli do nich przede wszystkim szczotkarze z „szopów" Többensa. Szczotkarze wiedzieli, że są skazani na zagładę, ponieważ ich warsztaty nie miały już materiału do dalszej pracy.

Kiedy SS-mani weszli do zabarykadowanej jak twierdza fabryki, wybuchła podłożona przez szczotkarzy mina i rozerwała wchodzących. Dwa dni bronili się szczotkarze, odpierając SS-manów i ich pachołków i biorąc jeńców. Ci jeńcy zostali zrzuceni z czwartego piętra na bruk, ponieważ Niemcy nie chcieli ich wymienić na jeńców żydowskich. I tak ponieśli stosunkowo łagodną śmierć. Po dwu dniach szop szczotkarzy musiał się poddać: zabrakło amunicji.

Ogniem i żelazem niszczyli Niemcy zaciekle jeden punkt oporu po drugim. Dzień i noc waliła już teraz nieustannie artyleria. Samoloty zrzucały pociski zapalające. Miotacze ognia niosły zniszczenie. Żydzi także podpalali fabryki. Nie gaszony ogień szybko przerzucał się od domu do domu. Ulice stały się purpurowe od płomieni i uwieńczone czarną koroną dymu, widzianą z daleka. Tak zapewne płonął Rzym Nerona.

Aby zwyciężyć zdecydowanych na wszystko obrońców, Niemcy sięgnęli po ogień.

Dnia 22 kwietnia Niemcy uznali, że „akcja" już jest skończona. Według danych niemieckich, w walkach padło 95 Niemców, a 420 było rannych. Żydów zginęło 18.000. W walkach po stronie Niemieckiej brało udział 5.000 Waffen SS, żandarmerii i Wehrmachtu. Prócz tego walczyli Ukraińcy i Łotysze z baonu Bałtyckiego i milicja żydowska. Bojowców żydowskich walczyło około 1500.

Po ogłoszeniu zwycięstwa Niemcy zabrali się do dalszej nie mniej krwawej walki. Bojowcy nie byli zwyciężeni, ukryli się tylko w dalszych nie spalonych jeszcze częściach ghetta pod ziemią w bunkrach, których nie zniszczyły pożary. Bierna masa żydowska, która nie brała udziału w obronie została załadowana do pociągów i wywieziona na śmierć. Bojowcy mogli teraz łatwiej się bronić.

Niemcy wiedzieli o tym i zaczęli dzielić ghetto na części. Na ulicy Franciszkańskiej zbudowali nawet (rękoma milicji żydowskiej) mur, biegnący środkiem jezdni.

Rozpoczęła się w ghecie nowa faza walki: partyzantka. Aby pomniejszyć ten fakt katastrofalny dla ich prestiżu, Niemcy zaczęli rozsiewać plotki stworzone w Alei Szucha: W ghetcie nie ma już Żydów. Tam bronią się komuniści i niemieccy dezerterzy. Tylko Niemcy mogą w takich warunkach zorganizować obronę!

Tę plotkę w Warszawie przyjęto śmiechem.

GŁOSY SKAZAŃCÓW

Zanim przejdziemy do opisu końcowych walk w getcie, podamy kilka relacji tych Żydów, którzy znajdowali się podczas obrony getta w obrębie murów. Nie wszyscy z nich walczyli. Przeciwnie, większość stanowiła bierną masę. Nie należy sądzić, iż przyczyną tej bierności był zawsze lęk. Byli wśród nich i tacy, którzy nie mieli pieniędzy na broń.

Duże ghetto

1. Relacja 20-letniego Żyda

... Byłem w tak zwanym „dzikim domu"* przy ulicy Ostrowskiej. W tym domu było nas około 60 osób, w tym większość kobiet, starców i dzieci. Nas młodych było piętnastu. Broni nie mieliśmy. Brauning kosztował 10 tysięcy złotych, żaden z nas tej sumy nie posiadał.

W niedzielę dn. 18 kwietnia o godzinie 5-ej rano rozpoczęła się na naszej ulicy „akcja". Na zarządzony alarm przeszliśmy do schronu. Znajdował się on pod piwnicami. Już zawczasu wyposażyliśmy go w potrzebne urządzenia: doprowadziliśmy światło elektryczne i wodę bieżącą. Przechowywaliśmy także w schronie spory zapas żywności.

W godzinę po naszym zejściu do domu wpadli Niemcy, właściwie SS-mani prowadzili ukraińskich żołnierzy. Z granatami w ręku przebiegli oni wszystkie mieszkania, nawołując się wzajemnie. Siedzieliśmy cichutko słuchając okrzyków i tupotu. Dzieci drżały ze strachu, bały się płakać, więc milczały. My, młodzi, zaciskając ręce — marzyliśmy o broni. O, jakże zazdrościliśmy tym szczęśliwcom, którzy przed śmiercią mogli walczyć. Mogli mścić się, mogli się bronić! A my?

---

*) „Dzikie domy" nie miały zorganizowanej obrony.

Następnego dnia wieczorem Niemcy podpalili nasz dom. Gasiliśmy ogień nocą, w obawie, aby nie zajęły się „klapy" prowadzące do schronu. Żar w schronie stawał się coraz większy. Brakowało powietrza. Zaczęliśmy się dusić. Wtedy postanowiłem wyprowadzić wszystkich do sąsiedniego domu i zaczekać tam, aż pożar zgaśnie, a właściwie kiedy dopali się nasz dom. Sąsiedni budynek, do którego dostaliśmy się pod osłoną nocy, był właściwie żelbetonowym szkieletem nowo budującego się domu. Położyliśmy się na otwartej platformie trzeciego piętra. Przed nami, jak na widowni, rozpościerała się cała ulica Ostrowska i kilka sąsiednich. Nad ranem przyszli Niemcy. Obstawili kolejno każdy dom, wyrywali ramy okienne, zrzucali je na stos wraz z meblami i podpalali. Następował wybuch, a potem płomienie wydostawały się oknami, przebijały dach. Domy zamieniały się w stosy. Równocześnie odbywało się polowanie na ludzi kryjących się w tych domach. Wywlekano ich i zabijano na miejscu. Niektórzy mieszkańcy rzucali się z okien na bruk. Pod wieczór wszystkie domy przy ulicy Ostrowskiej były spalone. Przez cały czas moi koledzy dyżurowali kolejno w naszym domu, nie dopuszczając ognia do schronu. Następnej nocy mogliśmy przejść tam z powrotem. Nie było już w schronie ani światła ani wody, a temperatura wskutek nagrzania dochodziła do 60 stopni. Kilkakrotnie zapadały się przejścia i kominy, którymi do nas docierało powietrze. Wtedy musieliśmy wychodzić i w oczach Niemców naprawiać uszkodzenia tak cicho i tak ostrożnie, żeby tego nie zauważyli. Przez siedem strasznych dni czekaliśmy w tym piekle na ratunek. Ale odgłosy walki oddalały się od nas coraz bardziej. Niemcy szaleli na ulicach, znikąd pomoc nie nadchodziła. Zrozumiałem, że to koniec.

Postanowiłem uciekać i powiedziałem o tym kolegom. Na ucieczkę zdecydowało się tylko sześć osób. Reszta zrezygnowała z ostatniej nadziei ratunku. Odbyliśmy naradę, wspólnymi siłami naszkicowaliśmy plan ulic. Potem sprawdziliśmy, czy klapa w kanale jest otwarta — i w drogę. Nie patrzyłem w oczy tym, co pozostawali. Nie mówiłem im: do widzenia. Wiedziałem, że nie zobaczę ich nigdy w życiu. I oni wiedzieli, że zginą.

Według nakreślonego planu wydostaliśmy się „na tamtą stronę".

2. Relacja 11-letniego chłopca

Chłopiec ten przed obroną getta mieszkał w przytułku. Zdążył uciec. Inne dzieci wraz z kierownikiem i personelem przytułku zostały zabite na żydowskim cmentarzu. Dziecko opowiada o swej tułaczce po domach, gdzie ludzie żyli przejęci jednym uczuciem: lękiem. Aby uratować się „zastawiono szafą wejście do ostatniego pokoju i wchodzili tam przez usuwaną deskę w szafie. Inni kryli się w beczkach lub skrzyniach, a dzieci chowano nawet w piecach". „Oczekując na możność ucieczki spałem na Gęsiej niedaleko wachy. Udało mi się ukryć w karawanie, w którym wywożono zwłoki na cmentarz. Wśród tych zwłok przewożono również i żywych ludzi. Trupy były strasznie popalone. Przez tydzień żyłem na cmentarzu, gdzie Polacy sprzedawali nam żywność. Wreszcie udało mi się przedostać na polską stronę. Było to chyba 28 kwietnia".

3. Relacja 15-letniego robotnika z „szopu"

...Czekałem wciąż, że ktoś nas uratuje. Wydawało się to niemożliwe, żeby pozwolono nas zamordować. Kiedy było najgorzej, usiłowałem przypomnieć sobie słowa, które słyszałem od jednego z naszych przed walką: „Komuniści nam pomogą. Musimy wytrzymać dwa tygodnie". Jak ja czekałem przez te czternaście dni!

Parę razy docierały do nas echa tego, co się działo na zewnątrz. Mówiono, że jakieś grupki Polaków biły się z Niemcami po „tamtej stronie". Było to gdzieś koło Okopowej, a potem jeszcze w paru miejscach, gdzie — nie pamiętam. Wtedy myślałem — że to już nadchodzi pomoc. Na razie od Polaków, a potem przybędą Rosjanie. Nie zastanawiałem się zupełnie, w jaki sposób to się stanie. Nie myślałem o tym, tylko czekałem.

I którejś nocy alarm. Byłem pewien, że to oni przybyli na ratunek. Tejże nocy przestałem liczyć na pomoc z zewnątrz. Bomby padły, jak mówiono, znów na dzielnice mieszkalne po aryjskiej stronie i w małym ghetcie. Co nam z tego przyszło? Nic.

Pomoc Polaków była za słaba. Zresztą cóż — żeby mogli, to by siebie też bronili...

Przestałem liczyć na innych. Spróbowałem ratować się sam.

Małe ghetto

1. Relacja działacza Żydowskiego Komitetu Narodowego

... W nocy z niedzieli na poniedziałek nikt nie spał. Czujki grup bojowych pełniły straż. Ludność cywilna udawała się do schronów. Mieszkania opustoszały. Nad ranem powietrze napełniło się hukiem strzałów karabinowych, rewolwerowych, broni maszynowej i detonacjami granatów, petard i pocisków. Walka rozgorzała. Teren, na którym przebywałem, nie był objęty jeszcze walką. Obrońcy mieli rozkaz nie prowokować żadnych zajść. Nastrój pełen powagi i odpowiedzialności ogarnął nas wszystkich. Wszyscy zdawaliśmy sobie sprawę, że dokonywa się coś wielkiego. W godzinach popołudniowych nadeszło pismo od komisarza od spraw przeniesienia przedsiębiorstw żydowskich w Warszawie W.C. Többensa, w którym zawiadamiał, że akcja dotyczy tylko ghetta centralnego, gdzie będzie nosiła charakter odwetowy za nieprzestrzeganie zarządzeń władz, a nasz teren w żadnym razie z tego powodu nie ucierpi. Następnie wezwał Többens kierowników warsztatów i robotników do zachowania spokoju i do wykonywania normalnych czynności. Wieczorem przyszedł niemiecki kierownik Heeresstandortverwaltung dr. Laus i razem z niemieckim kierownikiem Werkschutzu obeszli wszystkie posterunki wojskowe ustawione dookoła naszego bloku i prosili o niestrzelanie w kierunku naszego terenu.

Niepokój ogarniał nas coraz bardziej. Skąpe wiadomości z dramatu wojennego rozgrywającego się w ghetcie centralnym rzucały światło na całą sprawę. Z samego rana wycofano z ghetta policję granatową jako nie nadającą się do nowych metod działania. Na teren wjechały ciężkie auta z uzbrojonymi żołnierzami SS-Waffen, czołgi i karabiny maszynowe. Rozpoczął się bój straceńców--desperatów o honor i człowieczą godność Żydów ghetta.

Kierownictwo akcji spoczywało w wypróbowanych dłoniach arcykatów SS Hantkego i Michelsena. Zaatakowali ghetto przy wydatnej pomocy Umsedlungsamtu i ,,junaków'', Ukraińców - niemieckich pachołków.

We wtorek rano zjawił się dr. Laus i natychmiast zwołał konferencję kierowników warsztatów. Oświadczył on, że na skutek wypadków w ghetcie musimy nazajutrz wyjechać do Poniatowa. Straty niemieckie, jak się wyraził, są znaczne (ganz beträchtliche). Wszyscy czuliśmy, że za niemieckie niepowodzenia musimy zapłacić odszkodowanie krwią i życiem. Dr. Laus nadal zapewniał nas, że żadnej akcji na naszym terenie nie będzie.

W południe tegoż dnia otrzymaliśmy wiadomości z terenu walki: nasi obrońcy strzelają ze swych zaimprowizowanych strzelnic i nie chybiają. Na wielu domach ustawiono sprawnie działające karabiny maszynowe. Ruch ambulansów niemieckich znaczny. Pod wieczór nasz blok zaalarmowano wieścią, że wzdłuż murów przy ulicy Franciszkańskiej ustawiono gniazda karabinów maszynowych, skierowanych w naszą stronę. Było jasne, że kolejno i nas oczekuje katastrofa. Ludność cywilna zeszła do schronów. Obrońcy zajęli stanowiska. Około godziny 6-ej do naszego bloku wdarł się oddział niemiecki. Mina, umieszczona przez obrońców przy bramie Wałowa 6, eksplodowała, 15 Niemców rozerwało w kawałki, dziesiątki poraniło. Półgodzinny atak niemiecki zakończył się całkowitą klęską. Całą noc z wtorku na środę obrzucano nas pociskami armatnimi, a 21 kwietnia rozpoczął się generalny atak na nasz blok. Od samego rana zaatakowano nas z dział, ckm i z samolotów. Obrońcy udaremnili zamiary Niemców. Dopiero pod wieczór udało się Niemcom przy pomocy bomb i petard podpalić domy na Świętojerskiej. Siedziałem wtedy w schronie. O godzinie 11 poczuliśmy, że schron wypełnił się zapachem dwutlenku węgla. Światło elektryczne nie działało. Wody nie było. Świeca, która i tak ledwo się tliła, zgasła. Sąsiednia piwnica już płonęła. Rozszerzyliśmy otwór w piwnicy i wydostaliśmy się na podwórko płonącego domu. Byłem zaczadzony i słaniałem się na nogach. W ostatniej chwili znalazłem przejście na strych domu przy ulicy Świętojerskiej 30. Stamtąd młodzież odprowadziła pogorzelców na prowizoryczne punkty ratunkowe. Ochotnicy gasili ogień na strychu tego domu. W punkcie ratunkowym dostałem jedzenie. Wróciłem nieco do sił. Tejże nocy grupa 40 obrońców przedarła się do ghetta centralnego, aby połączyć swe siły. Byli ubrani w mundury niemieckie i hełmy i posiadali krótką broń palną. Przebijając się zabili kilku żandarmów.

We czwartek 22 byłem w schronie pod bramą domu na Świętojerskiej 28. W schronie znajdowało się około 80 dzieci. O godzinie 10 rano stwierdziliśmy, że w schronie jest dym.

Wyszliśmy na płonącą ulicę. Ludzie byli już bliscy obłędu. Niektórzy zaczęli tańczyć, krzyczeć, rzucać się na Niemców, którzy otaczali domy. W powietrzu unosiła się ostra woń palącego się mięsa ludzkiego. Przez dziurę przedostałem się na teren domu Franciszkańska 23, ten dom płonął również. Pędziłem dalej! Przez dach wylazłem na dom Fraciszkańska 27. Płonął. Na wpół nadzy pogorzelcy koczowali na środku podwórza. Kule bzykały dokoła. Ludzie modlili się głośno. Z grupą ludzi, która liczyła około 30 osób, przedostałem się przez otwór w murze na rumowiska domu przy ul. Franciszkańskiej 39. Tam w schronie leżeli dwaj mężczyźni zatruci bombami dymnymi. Obaj żyli jeszcze i jęczeli okropnie.

O godzinie 5 Niemcy otoczyli nasz schron i kazali wszystkim wychodzić. Wszyscy usłuchali prócz mnie i jednej z kobiet z dzieckiem. Niemcy rzucili do schronu parę granatów i bombę dymną. Ukryci w korytarzyku dusiliśmy się. Potem nadludzkim wysiłkiem uchyliliśmy zamkniętą przez Niemców klapę. Dym ulotnił się. O godzinie siódmej przeszukano nasz schron jeszcze raz. Słyszałem jak oficer niemiecki przekonywał Ukraińców, iż nie mają czego się bać, i namawiał ich, aby odważnie zeszli do schronu. Dziesięciu Ukraińców schwytało nas, i po wyciągnięciu na powierzchnię ustawiono nas twarzami do ściany. Szukając broni, zabrano nam wszystko, nawet lusterko i grzebyk. Prosiłem niemieckiego oficera, aby rozstrzelał nas natychmiast. Odpowiedział, iż ma dla nas coś lepszego — Umschlagplatz. Pod eskortą 3 Ukraińców odesłano mnie, kobiety i dzieci na osławiony plac przeładunkowy.

Jak wyglądała droga? Domy na Franciszkańskiej dopalały się. Przy każdej bramie warta niemiecka lub ukraińska. Na Nalewkach róg Gęsiej biwakował oddział SS-Waffen w pełnym uzbrojeniu. Na ulicach pełno łusek od karabinów, trupów ludzi i zabitych koni. W getcie centralnym szeregi spalonych domów. Na rogu ulicy Kupieckiej i Zamenhofa klęczy schwytana grupa Żydów, przeważnie kobiet i dzieci. Mijamy martwe ulice i martwe domy. Ulica Muranowska płonie. Po ulicach od czasu do czasu mknie auto niemieckie i znów śmiertelna cisza. Minęliśmy wachę ul. Zamenhofa—Dzika. Skręcamy na Umschlagplatz. Znów rewizja. Bijąc kolbami, wpędzono nas do budynku. Przed wojną mieściła się tam wzorowa szkoła powszechna. Dziś — jest tam królestwo śmierci. Każą nam klęknąć. Nie wolno się ruszać. Pośrodku pokoju znajduje się prowizoryczna latryna. Zaduch straszliwy i dym. Dzieci płaczą. Poparzeni jęczą. Za oknami rozlegają się nieustannie salwy karabinowe.

Ukrainiec pilnuje porządku. To znaczy, że chodząc dokoła ludzi wali kolbą karabinu kogo i gdzie popadło. Za kubełek wody żąda 500 zł. Co 5 minut alarm i rewizja. Jestem już bez kapelusza, palta, marynarki. Zapewne przy następnej ,,rewizji'' stracę buty i skarpetki. Dowiaduję się, że od poniedziałku nikt tu z obecnych nie otrzymał ani kawałka chleba, ani trochę wody. Ludzie nie mają już sił klęczeć i pokładają się pomimo bicia, a dzieci, dzieci!

W piątek 23 IV przedostaję się na pierwsze piętro. Tam takie samo piekło. Przed południem przyprowadzają członków Rady Żydowskiej. Wpychają ich do budynku. Przed domem zostali tylko przewodniczący Rady Żyd. inż. Lichtenbaum, wiceprzew. mec. Wielikowski, radca A. Szteleman i inż. Szereszewski. Po 10 minutach słychać kilka strzałów rewolwerowych i trupy członków Rady zostały rzucone na śmietnik. W ciągu dnia patrzę na coraz nowe transporty odjeżdżające. Gorączkowo szukam dróg ucieczki — na próżno. Umschlagplatz robi wrażenie obozu warownego. Dziesiątki żołnierzy z bronią obstawiło wszystkie wyloty. W nocy z piątku na sobotę próbowało ucieczki około 100 osób. Nikt nie przedarł się żywy poza kordon. W piątek podpalono domy na ul. Niskiej. Detonacje i jęki nie pozwalają usnąć ani na chwilę.

W sobotę 24 kwietnia rozeszła się wieść, że nas wyślą. Na salę, gdzie było około 200 osób, rzucono jak psom na podłogę 3–5 chlebów kilogramowych i postawiono naczynie z wodą. Około 11 wypędzono wszystkich na podwórze. Tam Többens przy pomocy SS-manów dokonał selekcji. Przy okazji Niemcy bili nie tylko nas, Żydów, ale i swoich pomocników Ukraińców. Selekcji dokonano chaotycznie. Rozdzielono rodziny oraz mężczyzn od kobiet. Grupy szły kolejno do wagonów. Mnie załadowano do wagonu, który zdaniem Többensa szedł do Poniatowa na roboty. Kobiety do Trawnik. O godz. 12-ej zaplombowano wagony. Manewrowanie na terenie dworca trwało do godz. 23-ej. Byliśmy bez wody. Zaduch był taki, że jasnym było, że połowa ludzi zginie w drodze. Zaraz za Otwockiem skoczyłem z pociągu...

PARTYZANTKA I PACYFIKACJA

Z uporem maniaka realizowali Niemcy swój niszczycielski plan. Do tego celu wybrali najbardziej tchórzowski, prymitywny sposób wojowania. Ghetto zbombardowano i spalono, po czym wysadzono w powietrze domy uważane za punkty oporu. Bez narażenia własnej skóry zniszczono znaczną część miasta, zmuszając wszystkich słabszych i bezbronnych do zdania się na łaskę i niełaskę ,,zwycięzcy'', a właściwie mówiąc jasno — na śmierć w mordowniach Treblinki, Bełżca i Majdanka. Bojowcy musieli ukryć się w podziemiach i zmienić sposób walki.

Krąg płomieni dokoła nich zacieśniał się. Spalone domy zapadały się, grzebiąc pod gruzami ludzi. Straszny to był widok. Ludzie otoczeni płomieniami wchodzili coraz wyżej i wyżej, a potem, kiedy już nad nimi było tylko niebo, skakali w dół. Matki zasłaniały dzieciom oczy chustkami i kawałkami odzieży.

Strażakom nie wolno było gasić żydowskich domów. Jeden z nich, widząc, że dziecko wyrzucone z okna trzeciego piętra żyje jeszcze, choć ogarnięte płomieniem, usiłował ulżyć jego cierpieniom strumieniem wody; Niemcy otworzyli na tego strażaka ogień z karabinu maszynowego.

Ludzie płonęli w straszliwej ciszy, przerywanej tylko sykiem ognia, strzałami i czasem — rzadko krzykiem rozpaczy.

Płonęli i dopalali się na ulicznym bruku. Nie wołali o ratunek. Nie skarżyli się. Nadmiar bólu widać odebrał głos tym nieszczęsnym.

Kiedy rok temu po raz pierwszy Niemcy rzucili się na ghetto i powtórzyli tam noc Bartłomiejową, wtedy tej nocy słyszała Warszawa płacz i zawodzenia i jeden wielki jęk, wydobywający się zza murów.

Potem płacz i jęki ucichły. Bez jednego głosu szli skazańcy na place zbiórek, bez skargi pozwalali się ładować do wagonów, wiozących ich na śmierć. Aż wreszcie ghetto odezwało się strzałami. I tą mową odpowiadało już Niemcom do końca.

Bo opór w ghetcie trwał. Żydzi bronili się, i nie tylko się bronili. Ukryci w podziemiach napadali pod osłoną nocy. Ich odwaga była odwagą straceńców. Czekała ich pewna śmierć, ale przed śmiercią chcieli się jeszcze zemścić. Odpłacać wrogowi bodaj za część doznanych cierpień i upokorzeń. Palili więc fabryki niemieckie, robili wypady, zachodzili na tyły Niemców.

Niemcy nacierali na różnych zupełnie odcinkach. Żydzi nie mieli w końcu wspólnej linii obrony. Częstokroć, walcząc na tej samej ulicy, nie mogli uzyskać porozumienia ze sobą. Pomimo to przez dłuższy czas z grupami żydowskimi walczyło kilka tysięcy żołnierzy niemieckich.

Niemcy spostrzegli, że Żydzi korzystają z kanałów. I wtedy dokoła murów i w samym ghetcie można było zobaczyć codziennie taki obrazek:

Kilku Niemców z walizkami otwiera wyloty od kanałów. Wrzucają coś dymiącego do środka i szczelnie zamykają klapy. To gaz. Jeszcze jedna tchórzowska broń, odbierająca życie tym, którzy schronili się w kanałach, lub tą drogą uciekali z ziemskiego piekła.

Gaz, ogień, pociski nie pomagały długo. Mijały tygodnie, a ghetto broniło się nadal. Paleni żywcem bojownicy mieli jeszcze siłę atakować. Bronili się zajadle w każdej ruinie domu, w każdym schronie, w każdej piwnicy. Wyrastali Niemcom na ich tyłach, pomimo że w kanałach byli truci jak szczury. Niemcy stanęli w obliczu zupełnej kompromitacji. Bo i cóż że gasł stopniowo opór w ghetcie. Cóż, że Żydzi broniąc się zajadle popełniali wiele błędów z punktu widzenia wojskowego. Obrońcy dokonali swego: prestiż niemiecki poniósł klęskę.

Skąd obrońcy ghetta czerpali tyle siły? Może wyjaśni to list ich komendanta. Człowiek ten nie żyje już — zginął w czasie walk.

A czytając jego list i wspomnienia innych Żydów, nie dziwcie się, gdy z takim zapałem witają prosty i naturalny fakt, że „mina wybuchła", że rkm strzelały, że oddziały broniły się i wytrzymały natarcie Niemców aż 6 godzin. Czytając te wspomnienia, listy i wrażenia, pamiętajcie, że ten naród nie walczył przez osiemnaście wieków. W ostatniej dopiero chwili, w chwili śmierci, Żydzi dokonali odkrycia, że potrafią nie tylko strzelać, nie tylko się bronić, ale że potrafią ginąć za swoich braci.

List komendanta do jego zastępcy w Warszawie.

— „To, cośmy przeżyli, nie da się opisać słowami. Zdajemy sobie sprawę z jednego: to, co się stało, przewyższyło nasze najśmielsze marzenia. Niemcy dwukrotnie uciekali z ghetta. Jeden nasz oddział wytrzymał na swoich pozycjach przeszło 40 minut, drugi oddział bojowy przez 6 godzin! Mina, którąśmy założyli na terenie szczotkarzy, wybuchła. Kilka naszych oddziałów zaatakowało Niemców, którzy się rozpierzchli. Nasze straty w ludziach są bardzo małe. To jest również sukcesem. Zginął J. Poległ śmiercią bohaterską przy karabinie maszynowym. Mam poczucie, że dzieją się rzeczy wielkie, że to, na co ważyliśmy się, ma znaczenie doniosłe...

Począwszy od dnia dzisiejszego przechodzimy na taktykę partyzancką. Dziś w nocy wychodzą w teren trzy oddziały bojowe. Mają dwa zadania: wywiad i zdobycie broni. Pamiętajcie, że krótka broń nie ma dla nas żadnego znaczenia. Używamy jej rzadko. Potrzebne nam są na gwałt: granaty, karabiny, kaemy, materiały wybuchowe.

Nie sposób opisać, w jakich warunkach żyją teraz Żydzi w ghetcie. Tylko jednostki będą mogły to przetrzymać. Wszyscy pozostali wcześniej albo później zginą. Los ich jest przesądzony. Prawie we wszystkich schronach, w których ukrywa się tysiące ludzi, nie można zapalić świecy, bo brak powietrza.

Przez naszą stację odbiorczą usłyszeliśmy piękną audycję radiostacji ,,Świt'' o naszej walce. To, że poza murami ghetta pamiętają o nas, dodaje nam otuchy w walce.

Bądź zdrów, drogi mój! Może się jeszcze spotkamy! Marzenie mego życia spełniło się. Żydowska samoobrona w ghetcie stała się faktem. Żydowski zbrojny opór i odwet urzeczywistnił się. Byłem świadkiem wspaniałej, heroicznej walki bojowców żydowskich.

Ghetto, 23. IV. 1943 r.   *M. Anielewicz*

W obstawionym szczelnie ghetcie walczy jeszcze resztka obrońców.

Nad nimi rozpalone mury, pod nimi zatrute kanały. Ale jak konające zwierzę, ranią jeszcze śmiertelnie napastnika. Co noc słychać strzały. Nie zawsze są to echa salw karabinowych odbierających życie więźniom z Pawiaka. Często są to strzały ostatnich obrońców getta.

Równocześnie rozpoczęli już Niemcy ostatni etap walki, którą nazwali: ,,pacyfikacją''.

Z Umschlagplatz odchodzą codziennie nowe transporty. Przeciętnie 30 do 40 wagonów wyjeżdża dziennie w kierunku na Lublin. Tymi wagonami odjeżdżają ci, co się nie bronili. Są pomiędzy nimi i konfidenci — żydowscy gestapowcy, resztki milicji żydowskiej. Nimi posługiwali się Niemcy w walce z ghettem. Dziś są już niepotrzebni i podzielą los swoich współbraci. Doprawdy zasłużyli sobie na wyróżniającą śmierć — przez powieszenie. Niemcy jednak część z nich rozstrzelali i ciała wrzucili do płonących domów, a resztę załadowali do wagonów. Zaznają więc wraz z innymi ,,pracy i spokoju''. Tylko, że pracy nie wykonają już wiele, a czy znajdą spokój na tamtym świecie — Bóg jeden wie.

Szopy, nietykalne szopy, zlikwidowano także. Pomimo tylu obietnic obstawiono je wreszcie policją. Wywleczono robotników i wysłano także. A przecież nie bronili się, karnie słuchali ,,dobrych rad'' niemieckiego kierownictwa.

W obozach śmierci trwa rzeź. W łaźniach zabijają gorącą parą i elektrycznością tysiące ludzi. Sklejonych, potwornie powykręcanych w przedśmiertnej męce — Żydzi, których nazajutrz czeka ten sam los, polewają zimną wodą, odrywają jednych od drugich i wloką — do krematorium.

Tam się odbywa ostatni akt dramatu.

Nie było w dziejach podobnej zbrodni od czasów Nerona. Führer, podpalacz świata, przewyższył jeszcze swój pierwowzór podpalacza Rzymu, zwyrodniałego Cezara.

Upadł Rzym, bo zwyrodniałym stał się jego naród.

Naród niemiecki straszniejsze jeszcze popełnia zbrodnie. A radość i gorliwość, z jaką Niemcy spełniają masowe morderstwa i zadają katusze, budzą grozę.

Jakże okropny będzie upadek III i Ostatniej Rzeszy!

W Jerozolimie, pod górą, na której przez wiekami stała świątynia jerozolimska, przed wysokim, kamiennym murem stoją zawsze szeregi modlących się Żydów. Z podniesionymi w górę rękoma śpiewają piękną pieśń żalu i skargi:

Że nasi prorocy wymarli,
          Stoimy tutaj płaczący —
Że Syjon jest w opuszczeniu,
          Stoimy tutaj płaczący —
Że świątynie nasze w gruzach,
          Stoimy tutaj płaczący —
Że nasze świętości są w poniżeniu,
          Stoimy tutaj płaczący...

Mur warszawskiego ghetta stał się dziś prawdziwym, ale straszliwym murem płaczu. Ileż łez i krwi wylano przy nim, łez beznadziejnej rozpaczy i niewinnej dziecięcej krwi.

Matki patrzyły, jak płonęły ich dzieci, jak dusiły się w schronach, jak zalewała je woda w piwnicach z popękanych od gorąca rur. Patrzyły i łzy kamieniały im w oczach! Mężowie jadąc do obozów pracy wiedzieli, że ich żony i dzieci są wysyłane na śmierć. Młodzież umierała marząc o broni, której kupić nie mogła. Umierała, dławiąc łzy bezsilnego gniewu i buntu...

Czyż przecierpiał ktoś kiedykolwiek większy ból i zniósł większe pohańbienie?

Piękna stara legenda głosi, iż przed tronem Boga stoi czara. Są w niej łzy Żydów. Gdy czara wypełni się, Bóg przebaczy wybranemu niegdyś narodowi jego ciężkie winy. Skończą się wtedy jego cierpienia i tułaczy żywot.

Czyż mogły te łzy ostatnie nie dopełnić czary? Czyż mogły być te cierpienia daremne? Z krwi, która opłynęła mury — może powstać odrodzenie. I komornica narodów, naród tułaczy, który żadnej ziemi nie ukochał naprawdę jak własnej Ojczyzny i żadnej bronić nie chciał własną krwią, może odnajdzie wreszcie po wiekach swą Ziemię Obiecaną.

ZA MURAMI

Pisząc o stosunkach polskiego społeczeństwa do obrony ghetta, nie będziemy dotykać wcale kwestii polsko-żydowskiej. Jakby za milczącą umową, nie wysunęło jej żadne z pism polskich w tych ponurych dniach kwietnia i maja 1943 r. Całe bowiem zdrowo myślące społeczeństwo polskie odróżnia wyraźnie te dwa zupełnie odrębne zagadnienia. I życzliwość okazywana tak żywiołowo bohaterskim obrońcom nie ma nic wspólnego z poglądami poszczególnych grup społecznych na tak zwaną ,,kwestię żydowską''.

23 kwietnia, kiedy dymy okryły już całkowicie płonące za murami miasto, Żydzi nadesłali do Polaków następującą odezwę:

Polacy, Obywatele, żołnierze wolności!
Wśród huku armat, z których armia niemiecka wali do naszych domów, do mieszkań naszych matek, dzieci i żon;
Wśród terkotu karabinów maszynowych, które zdobywamy w walce na tchórzliwych żandarmach i SS-owcach;
Wśród dymu pożarów i kurzu krwi mordowanego ghetta Warszawy — my więźniowie ghetta — ślemy wam bratnie, serdeczne pozdrowienie. Wiemy, że w serdecznym bólu i łzach współczucia, że z podziwem i trwogą o wynik tej walki przyglądacie się wojnie, jaką od wielu dni toczymy z okrutnym okupantem.
Lecz widzicie także, że każdy próg ghetta, jak dotychczas, tak i nadal będzie twierdzą; że możemy wszyscy zginąć w tej walce, lecz nie poddamy się; że dyszymy jak i Wy żądzą odwetu i kary za wszystkie zbrodnie wspólnego wroga.
Toczy się walka o naszą i o waszą wolność!
O Wasz i nasz ludzki, społeczny, narodowy honor i o godność!
Pomścimy zbrodnie Oświęcimia, Treblinki, Bełżca, Majdanka!
Niech żyje braterstwo broni i krwi Walczącej Polski!
Niech żyje Wolność!
Śmierć katom i oprawcom.!
Niech żyje walka na śmierć i życie z okupantem!

Żydowska Organizacja Bojowa

Masy żydowskie raczej niechętnie były usposobione do Polaków. Stykały się one najczęściej z szumowinami ludzkimi, które uczyniły dochodowy interes z ich nieszczęścia, dostarczając im żywności po drogiej cenie, a kupując od nich rzeczy za bezcen. Policjanci granatowi byli dla nich na równi z żandarmami — wykonawcami prawa niemieckiego. A przy tym Żydzi nie mogli zapomnieć, że ich domy i sklepy, które zostały po aryjskiej stronie, zajęli nie tylko Niemcy, ale i Polacy. Nie zastanawiali się, że tak być musiało, że oni z kolei zajęli Polakom ich sklepy i domy na terenie ghetta. Nienawiść do Niemców zabijał lęk, przewyższający częstokroć lęk przed śmiercią. Niemcy byli tak silni i bezwzględni, że można było ich tylko śmiertelnie bać się. Polacy, którzy też byli prześladowani, a więc słabi, nie budzili strachu, budzili często nienawiść.

W odróżnieniu od mas żydowskich bojowcy podkreślali mocno swoją solidarność z Polakami. Świadczy o tym odezwa, świadczyły napisy na murach, świadczyła biel i czerwień sztandarów, które widniały obok chorągwi o barwach narodowych żydowskich.

Bojowcy ostrzegali ludność polską o mającej nastąpić strzelaninie, aby miała czas usunąć się w bezpieczne miejsce. Niemcy chytrze wykorzystywali ciekawość gapiów warszawskich i pozwalali im wystawać tuż obok stanowisk karabinów maszynowych. Przy Polakach czuli się bezpiecznie. Żydzi odczuli i zrozumieli, że sympatia całego polskiego społeczeństwa jest po ich stronie. Polacy zresztą nie tylko w słowach manifestowali swoje uczucia. Samorzutnie była zorganizowana pomoc Żydom w walce zbrojnej i przy ucieczkach. Jak słusznie stwierdziło jedno z pism podziemnych, Polacy nie rzucili się masowo na odsiecz Żydom z tych samych pobudek, dla których patrzymy bezczynnie na Oświęcim i Majdanek. Jeszcze nie wybiła godzina.

Posłuszni nakazom władz podziemnych i ludzkim uczuciom Polacy nieśli pomoc zbrojną i pomoc przy ucieczkach. Przechowywali Żydów pod grozą śmierci, bo Niemcy zabijali zarówno - znalezionych Żydów, jak i ich opiekunów. Nie wolno dziś wiele pisać o tej pomocy, ale już teraz da się stwierdzić, że niosący pomoc byli to ludzie z różnych grup społecznych, a wśród nich i ci, którzy uważają Żydów za wrogi Polsce element.

Męty społeczne — nie polskie, nie żydowskie i nie niemieckie, ale ogólnoludzkie szumowiny, które służą każdemu panu, zrobiły z żydowskiego nieszczęścia źródło nowych dochodów. Za judaszowe srebrniki pomagali ci ludzie wyłapywać uciekających z ghetta. Nie ma słów dość mocnych, aby potępić tych zdrajców. Nie ma dla nich miejsca w wolnej Polsce!

Polacy wyciągnęli do Żydów pomocną dłoń. Niemcy usiłowali ten jedynie możliwy, ludzki stosunek pomiędzy mordowanymi a świadkami zbrodni zniekształcić i zohydzić.

W niemieckich pismach poznańskich i pomorskich ukazała się wiadomość, że Polacy oburzeni za Katyń rzucili się na ghetto... a Niemcy musieli interweniować.

Na wieść o tym Żydzi na nowo zaprotestowali, odrzucając to oszczerstwo.

Na opinię polską próbowano natomiast wpłynąć w iście niemiecki sposób: megafony aż zachłystywały się z oburzenia, podając co raz to nowe szczegóły morderstwa w Katyniu i podsuwając myśl, że sprawcami tego są Żydzi. Żydzi też podobno planowali wymordowanie całego kulturalnego świata. Aby uplastycznić nam ten obraz, Niemcy wystawili w oknach sklepów fotografie ofiar zamordowanych Polaków. Pod tymi fotografiami i ohydnymi rysunkami widniały napisy: Tak Żydzi wymordowaliby ludzi...

Złą chwilę wybrali Niemcy na podobne występy. Ludzie mniej krytyczni oburzeni na to, co się działo za murami ghetta, nawet i Katyń zaczęli przypisywać Niemcom.

Źle trafili również, usiłując wmówić Polakom, że wymordowanie Żydów jest korzystne dla Polski. Myśl tę odrzuciło społeczeństwo polskie ze wstrętem.

Nasze trudności w związku z kwestią żydowską nie mają nic wspólnego z masowym mordem. Pojmuje to jasno całe społeczeństwo polskie.

My nie potrzebujemy cudzej pomocy, a zwłaszcza niemieckiej, przy rozwiązywaniu naszych wewnętrznych trudności. My je rozwiążemy sami — zgodnie ze sprawiedliwością, prawem i naszym interesem narodowym. A dla morderstwa mamy zawsze tylko słowa potępienia.

My wiemy, że likwidacja ghetta wyrządziła krzywdę — nie tylko mordowanym, ale i całemu światu, a nam, będącym najbliżej, większą niż komukolwiek innemu.

Na oczach świata, w naszych oczach, w oczach naszej młodzieży — mordowano naród. Patrzyliśmy na to bezczynnie. Pomimo całego oburzenia oswajamy się z myślą, że można mordować, można budować krematoria dla żywych ludzi.

W umysłach dziecięcych zaczyna kiełkować pojęcie, że są różne rodzaje narodów: ,,panów'', ,,pachołków'' i wreszcie ,,psów'', które wolno zabijać bezkarnie.

I to jest najstraszliwszy posiew krwawego Führera i jego zwycięstwo.

Minie Hitler jak zły sen, padnie z rąk własnego upodlonego narodu. Świat przestanie być rzeźnią. Wróci ład i spokój. A w wiele lat potem dziecko spyta:

— Czy zabito c z ł o w i e k a czy Ż y d a mamo?

Tego lęka się serce polskich matek.

★ ★ ★

W ciągu wielu lat świat patrzył bezczynnie na hitlerowską bestię. Nie przygotowywano się do walki wciąż wierząc, że bestia hitlerowska da się ugłaskać, że nastąpi wreszcie kres jej żądaniom, że namową można będzie zmusić ją do zmiany postępowania.

Dobra wola Niemiec zawiodła.

Zachęceni bezkarnością Niemcy przekreślili wszelkie prawa, zachowując jedno tylko: prawo ,,narodu panów''.

W imię tego prawa przywrócono niewolnictwo. Zniszczono wielowiekowe zdobycze chrześcijaństwa. Podeptano godność ludzką, sprawiedliwość, honor...

Aż doszło do zbrodni, jakich nie było jeszcze w dziejach. Świat patrzy na nie. Współczuje ofiarom. Obiecuje pomstę.

Nie obietnic tu trzeba! Nie współczucia!

Trzeba natychmiast siłą powstrzymać zbrodniarzy! Bo pomsta nie przywróci do życia wymordowanych narodów. Nie wyrówna krzywd moralnych! Każdy dzień niesie zagładę i sieje straszliwe spustoszenia, cofając Europę wstecz o wiele wieków.

Za to ponosi odpowiedzialność cały świat. Za swoją słabość, lenistwo duchowe, egoizm.

I kiedy nadejdzie dzień zwycięstwa, jedyną ekspiacją za niemożność przeciwstawienia się złu będzie taka przebudowa świata, aby hasła głoszone przez demokracje weszły wreszcie w życie i aby podobna tragedia nie powtórzyła się już nigdy i nigdzie.

Dodatek:
GŁOSY PRASY POLSKIEJ

Pierwsze wiadomości o walkach w ghetcie przyniosło w dniu 20–21 kwietnia pismo informacyjne ,,Dzień Warszawy'' (Nr 554) z dnia 24 IV. Podając szereg wiadomości z przebiegu pierwszych godzin walki — konkluduje:

,,Nie możemy nie wyrazić współczucia i szacunku dla ludności żydowskiej, która porzuciwszy swą bierność — prowadzi dzielną, acz beznadziejną walkę ze stukrotnie przeważającymi siłami katów hitlerowskich. Najgłębsza chyba ohyda prowadzenia walki z ludnością cywilną za pomocą ciężkiej broni i miotaczy ognia — przemawia sama przez się''.

Odtąd aż do dnia dzisiejszego na łamach pism wszystkich stronnictw politycznych i w pismach urzędowych ukazują się wiadomości i o ghetcie. Podamy bardziej charakterystyczne wypowiedzi:

Ulotka Polskich Organizacji Niepodległościowych:

,,... Przytaczając słowa premiera Sikorskiego oraz słowa Pełnomocnika na Kraj Rządu Rzeczypospolitej wzywamy wszystkich Polaków o zastosowanie się do zawartych w tych słowach wskazań. Ani na chwilę nie wolno nam zapomnieć, iż Niemcy dokonywując swej zbrodni, dążą równocześnie do tego, aby wmówić w świat, że Polacy współuczestniczą w morderstwach i rabunkach dokonywanych na Żydach. W tych warunkach wszelka pośrednia, czy bezpośrednia pomoc okazywana Niemcom w ich zbrodniczej akcji jest najcięższym przestępstwem w stosunku do Polski. Każdy Polak, który współdziała z ich morderczą akcją czy to szantażując, czy denuncjując Żydów, czy to wyzyskując ich okropne położenie, lub uczestnicząc w grabieży, popełnia ciężką zbrodnię wobec praw Rzeczypospolitej Polskiej i będzie niezwłocznie ukarany, a jeżeli uda mu się uniknąć kary, bądź chronić się przed nią pod opieką nikczemnych zbrodniarzy okupujących nasz kraj, niech będzie pewny, że już niedaleki jest czas, kiedy pociągnie go do odpowiedzialności sąd Odrodzonej Polski.

W-wa, w maju 1943 r.   *Polskie Organizacje Niepodległościowe*

Ulotka W.R.N.

Towarzysze i obywatele!

Od 18 kwietnia w ghetto warszawskim trwa akcja przeciwdziałania zamiarom okupanta, który postanowił ostatecznie wymordować resztki Żydów polskich. Skazani przez Hitlera na śmierć postanowili nie poddać się biernie katom na pastwę i broniąc honoru człowieka i obywatela stawiają orężny opór krwawym siepaczom. Nad Warszawą znowu rozpłomieniła się łuna pożarów, znów zagrały karabiny i armaty, znów odezwał się huk granatów. Robotnicy i pracownicy — obywatele polscy narodowości żydowskiej stanowią rdzeń i duszę tych żydowskich oddziałów bojowych, które podniosły zbrojny protest przeciwko gwałtom hitlerowskim. Nad ich głowami w czasie walk powiewa sztandar polski, ich czyn wiąże się, jako jedno ogniwo, z trwającym już czwarty rok nieprzerwanym ciągiem aktów oporu i walki całej Polski.

Jest sprawą wielkiej wagi, by w historycznych chwilach, które przeżywamy, cała Polska i cały świat rozumiały dokładnie wymowę każdego epizodu naszej walki o wyzwolenie. Czy bitwa pod Krasnobrodem, czy poszczególne akcje oddziałów Sił Zbrojnych w Kraju, czy wystąpienie zbrojne obywateli polskich zamkniętych w warszawskim ghetto — wszystkie te akty świadczą o nieprzejednanym stanowisku Polski wobec okupanta, o naszej woli zdobycia pełnej niepodległości. Żadna kropla krwi przelana w tych bojach nie będzie stracona. Każda ofiara musi stać się cementem wolności i sprawiedliwości społecznej dla wszystkich obywateli Odrodzonej Rzeczypospolitej.

Robotnikom i pracownikom narodowości żydowskiej, którzy w obliczu niechybnej śmierci postanowili raczej zginąć z bronią w ręku niż poddać się biernie przemocy, przesyłamy braterskie pozdrowienie i zapewnienie, że czyn ich nie przebrzmi bez echa. Wejdzie on w legendę Polski Walczącej, stanie się wspólnym dorobkiem ludu Polski, dorobkiem, na którym wzniesiony zostanie gmach odrodzonej Rzplitej.

Do ludów świata wołamy: oto w obliczu potwornych planów zniszczeń jakie od trzech lat urzeczywistnia okupacja hitlerowska, pod jarzmem najstraszliwszego terroru, który szaleje na naszych ziemiach, raz po raz wybucha płomienny protest mordowanych i maltretowanych synów polskiej ziemi. Woła o ratunek, o pomoc jak najszybszą, aby dzień pokonania wroga przyszedł przed ostatecznym wyniszczeniem naszych sił żywotnych.

Wołając o jak najszybsze uderzenie z zewnątrz w potęgę niemiecką wzmocnijmy nasz wysiłek dla przygotowania powszechnego powstania polskiego, które wraz z ofensywą sprzymierzeńców zada śmiertelny cios totalizmowi wszelkich odcieni.

Wolność—Równość—Niepodległość

Warszawa, w kwietniu 1943 r.   *Centralne Kierownictwo Ruchu Mas Pracujących Polski*

,,WRN'' — maj:

,,Warszawa jeszcze raz została wydana na pastwę ognia i materiałów wybuchowych... Pastwą min, granatów i ognia padło wiele budynków użyteczności publicznej już wyłącznie dlatego, żeby pogłębić zniszczenie miasta...''

,,Rzeczpospolita'' — maj:

,,...Olbrzymia większość zdrowego, przepojonego duchem chrześcijańskim społeczeństwa polskiego z odrazą patrzyła i patrzy na zbrodnie popełniane przez niemieckich oprawców i ze szczerym, głębokim współczuciem traktuje ofiary zbrodni. Ale znajdują się zdeprawowane jednostki — niestety przybrane niekiedy w mundur policyjny — które nie wahają się wykorzystywać tragedii tropionych i szczutych przez Niemców Żydów — dla szantażowania ich i wymuszenia wysokich okupów... Winni oni być wciągani na listy i oddawani sądom specjalnym celem wymierzenia surowej kary...''

,,Życie polityczne kraju'' — maj — (przegląd prasy polskiej):

,,Liczne echa w polskiej prasie podziemnej wywołała bohaterska i długotrwała walka pozostałych kilkudziesięciu tysięcy warszawskich Żydów, którzy przeciwstawili się zbrojnie Niemcom... Pisma polskie niezależnie od ich postawy ideowej i politycznej i stosunku do Żydów — podkreślają dzielną postawę obrońców Ghetta...''

,,Prawda młodych'' — maj:

,,My, katolicy, rozumiemy doniosłość tych wypadków, słysząc jęki mordowanych, patrząc na łuny pożarów — nie możemy wobec nich zachować się biernie. Naszym obowiązkiem jest pomagać prześladowanym Żydom nie dbając o to, czym oni za tę pomoc odpłacają, lub też odpłacą w przyszłości... Żydzi walczą. Walczą nie o życie, gdyż walka ich z Niemcami jest nadto nierówna i beznadziejna — lecz o cenę życia. Nie o uratowanie się od śmierci, lecz o rodzaj śmierci. O to, by ginąć jak ludzie, nie jak robactwo Po raz pierwszy od osiemnastu wieków ocknęli się z upodlenia. Moment ważny i bogaty w skutki. Kto wie, czy z popielisk warszawskiego ghetta, z ruin i trupów nie wyjdzie odrodzenie duchowe Izraela? Czy Żydzi nie oczyszczą się w obecnym całopaleniu i z wiecznego tułacza, z dokuczliwego pasożyta nie staną się ponownie normalnym narodem, który na jakimś uzyskanym obszarze rozpocznie samoistne, twórcze życie. Warszawskie ghetto może stać się nie końcem, a początkiem, gdyż nic, co ginie po ludzku, nie ginie daremnie..."

„Wolność" — maj:
„... W obliczu szalejącego terroru hitlerowskiego, sumienie nasze nakazuje nam bronić uciśnionych, którzy się pod nasze opiekuńcze skrzydła schronili..."

„Głos Polski" — maj:
„Postawa walczących Żydów znajduje słusznie pełne uznanie Polaków. Pomóc im nie możemy dla tych samych przyczyn, dla których nie ratujemy siłą naszych braci ginących w Oświęcimiu, Majdanku i wielu innych obozach..."

„Myśl państwowa" — kwiecień:
„...Żydzi z bezradnego, mordowanego przez niemieckich zbrodniarzy stada wznieśli się do poziomu narodu walczącego, jeśli nie o swoją egzystencję — bo wobec absolutnej przewagi wroga jest to niemożliwe — to o zamanifestowanie swych praw do narodowego bytu. Społeczeństwo polskie patrzy na to zjawisko z szacunkiem dając mu swe moralne poparcie i życząc, aby opór trwał jak najdłużej..."

„Czyn" — maj:
„... Dla przeciwdziałania ucieczkom okupant rozplakatował obwieszczenie o zaostrzeniu odpowiedzialności dla Polaków niosących jakąkolwiek pomoc Żydom, jednocześnie kierownictwo Walki Cywilnej wydało komunikat wzywający Polaków do pomagania ukrywającym się Żydom, którzy są prawnymi obywatelami Państwa Polskiego. Polacy winni denuncjacji skazani są na karę śmierci. Znane są już liczne wypadki wykonania tych wyroków..."

„Orka" — „Prawda zwycięża" — maj:
„... Żydzi w Londynie albo nie wiedzą, co się stało z ich rodakami w kraju, albo po prostu nie wierzą w nadsyłane wiadomości. Kto tu obchodził Pejsach i kto słuchał radia londyńskiego, przez które ów szanowny przedstawiciel Żydów, zapewne po wypiciu paru kieliszków dobrej pejsachówki, zapewniał współwyznawców w kraju, że już niedługo potrwa ich niewola? W tym momencie domy warszawskiego ghetta paliły się przy huku granatów niemieckich, a dzielni, ostatni jego mieszkańcy drogo sprzedawali tym razem swoje życie..."

„Żołnierz rewolucjonista" — maj:
„...Bohaterska desperacja robotników żydowskich broniących się w szopach i domach, i podziemiach ghetta doprowadziła do całkowitej kompromitacji policji niemieckiej, dużych strat wśród atakujących SS-manów, Litwinów i Ukraińców i przerodziła się w regularną obronę zamieszkałej przez Żydów części Warszawy..."

„Polska walczy" — maj:
„...Każdy odgłos nadchodzący z pola walki broniącego się ghetta wstrząsa naszym sumieniem i wywołuje mękę. Wypełnia się miara straszliwych zbrodni. Wypełnia się miara bohaterstwa człowieka w patosie miażdżącego życie tragizmu..."

„Wolność" — maj:
„...Walki dowiodły, że tradycja Machabeuszy... nie wygasła zupełnie, lecz tliła. Tliła lat setki, a nawet tysiące, ale po wiekach zasyczała, sypnęła iskrami i wybuchła płomieniem wśród Żydów polskich, którzy tym samym spłacili nam niejako dług — ofiarowywanego im przez wieki jednego z najistotniejszych elementów naszej kultury — dobrze pojętego poczucia rycerskości i bohaterstwa w walce o słuszną sprawę..."

„Biuletyn informacyjny" — maj:
„...Dotychczasowa bierna śmierć mas żydowskich nie stwarzała nowych wartości — była bezużyteczna; śmierć z bronią w ręku może wnieść nowe wartości w życie narodu żydowskiego, nadając męce Żydów w Polsce blask orężnej walki o prawo do życia. Tak pojęło obronę ghetta społeczeństwo Warszawy z uznaniem wsłuchując się w trzask salw obrońców i z niepo-

kojem śledząc łuny i dymy coraz rozleglejszych pożarów. Walczący obywatele państwa polskiego zza murów getta stali się bliżsi, bardziej zrozumiali społeczeństwu stolicy''.

,,Dziś i jutro'' — maj:

,,...Opancerzony smoczą skórą ,,Zygfryd z Nibelungów'' ma swoje czułe miejsca, gdzie go może ugodzić cios śmiertelny. W ten czuły punkt można trafić mieczem odważnej decyzji. Fakty pokazują, że droga z pozoru najryzykowniejsza staje się może jedyną drogą ratunku ciemiężonych. Za późno zastanawiać się, jak potoczyłyby się wypadki, gdyby Żydzi wcześniej chwycili za broń? Dziś widzieć możemy tylko moralny sens wydarzeń. Dokonał się wybór między honorową śmiercią a życiem — ,,za wszelką cenę''. My, Polacy, którzy mamy dumne przekonanie, że wyboru tego potrafimy zawsze dokonać, niezależnie od wagi politycznej wypadków, doceniamy ich sens ideowy''.

,,Polska'' — maj:

,,...Niemcy mają przedsmak tego, co mogliby rozpętać w Warszawie i na ziemiach polskich, gdyby wpadli na szaleńczy pomysł likwidowania ludności polskiej...''

,,Biuletyn Informacyjny'' — maj:

,,Niszczenie ghetta... spowodowało utratę przez Warszawę około 100 000 izb mieszkalnych łącznie z urządzeniem, około 2000 lokali przemysłowych i około 3000 lokali handlowych. Urządzenia kanalizacyjne, wodociągowe, elektryczne i telefoniczne uległy większym lub mniejszym uszkodzeniom. Aby w pełni zrozumieć ogrom tych zniszczeń, należy uprzytomnić sobie, że skutkiem oblężenia wrześniowego było całkowicie zburzone 78 000 izb mieszkalnych, t.j. znacznie mniej niż obecnie''.

,,Polska walczy'' — N.B. 30.IV.43 r. — (,,Dymy nad Warszawą'')

,,Czytamy biuletyn z frontu toczącej się na świecie wojny — w Afryce, Rosji, Chinach, Pacyfiku. Tam także giną ludzie, tam także ma miejsce bohaterstwo i pogarda śmierci — ale tam walczą i giną w innych warunkach. W walce toczącej się poza murami ghetta ludzie ,,giną inaczej''. Jest to walka straceńców w grozie rozszalałego bestialstwa i zbrodni. Biuletyn z pola tej walki winien być odczytany na froncie walczącej ludzkości, aby żołnierz szczycić się mógł koleżeństwem broni z tymi, co z bronią w ręku giną dziś w domach i na ulicach warszawskiego ghetta. Dymy nad Warszawą nie mogą się rozwiać i zginąć bez śladu, bo rozwiałoby się wtedy to, co jest w życiu bohaterstwem i zginęłaby bez śladu straszliwa niemiecka zbrodnia, która woła o pomstę...''

,,Walka ludu'' — maj:

Święto Wielkiej Nocy uczcili Niemcy nową zbrodnią. Tchórzliwi wobec uzbrojonych powstańców z tym większym okrucieństwem zachowują się wobec bezbronnej ludności. Mordem i pożogą święcą Niemcy dzień Zmartwychwstania. Zbrodnia ta nie może zostać bezkarną. Naród, który się jej dopuszcza, nie zasługuje na wolność, musi być skrępowany i pozbawiony broni, jak się związuje kaftanem bezpieczeństwa furiata. Niemcy przekonali się naocznie, jak niebezpiecznym jest doprowadzić ludność do ostateczności. Terror skutkuje tylko do czasu; z chwilą gdy ludzie nie mają już nic do stracenia, gotowi są walczyć choćby w najbardziej beznadziejnej sytuacji. Nasze powstanie nie będzie wybuchem rozpaczy i nie może się zakończyć klęską. Powstanie polskie zada ostateczny cios wrogowi, a nam przyniesie wyzwolenie''.

,,Przez walkę do zwycięstwa'' — maj:

,,...Postawa Żydów, którzy chwycili za broń i w chwili pisania tych uwag — 13 dzień walczą z wrogiem — budzi szacunek. Walczą i giną z godnością i honorem, co należy uznać i podkreślić, pomimo całego szeregu różnic i antagonizmów wyrosłych pomiędzy nami a nimi''.

,,Polska zwycięży'' — maj:

,,...Na bojowników warszawskiego ghetta Polacy patrzą jak na tych, którzy stanęli na wysokości zadania obywateli polskich protestujących czynem przeciwko poniżeniu i sponiewieraniu, broniących ofiarą życia dawnej godności człowieka...''

,,Pionier'' — maj:

,,...Protest zbrojny warszawskiego ghetta ma zresztą dla nas, Polaków, specjalne znaczenie. Oto stojąc na gruncie państwowości polskiej, potępiamy zbrodnie niemieckie, dokonywane na Żydach nie tylko z pobudek humanitarnych i kulturalnych, lecz również dlatego, iż bezprzykładne, barbarzyńskie prześladowanie przez najeźdźcę Żydów, jako obywateli państwa polskiego, godzi pośrednio w polską rację stanu. Bojownicy ghetta stanęli tedy na wysokości zadań obywateli polskich, broniąc swej godności i rozszerzając front walki z okupantem..."

„Walka" — maj:
„...I nawet tam, gdzie polskość była pozbawiona należnego uznania, tam, gdzie imię Polski tyle razy się spotwarzało — wśród murów ghetta — gdy przyszło do ostatecznej walki na śmierć i życie, wtedy na murach pojawiły się polskie chorągiewki — symbol walki z bezkarnością mordu. Bo nawet walczący o swe życie Żyd zrozumie, że nie swoją dolą po stokroć zasłużoną, ale imieniem Polski poruszyć może świat..."

„Nowa Polska" — maj:
„...Trzeci front w Warszawie. Chodzi o ghetto. Oczywiście, że nie będzie dla Niemców drugim Stalingradem, jak koniecznie twierdzą Żydzi, ale na pewno stanowi dla nich jeszcze jedną hańbę i jeszcze jedną kompromitację. Ostatecznie zwyciężą Niemcy. To chyba będzie ich ostatnie zwycięstwo w tej wojnie".

„Szaniec" — maj:
„...Od kilkunastu dni jesteśmy więc świadkami niesłychanego widowiska, które poza swym tragizmem jest kompromitujące i ośmieszające Niemców".

„Nowe drogi" — czerwiec:
„...Za decyzją zrównania ghetta z ziemią kryje się wściekłość przeciwko sprawcom tak krańcowej, tak śmiesznej przy całej grozie wydarzeń kompromitacji niemieckiej... Dość złowrogiej ironii jest w tym zwycięstwie na froncie Nalewek i Muranowa w obliczu niepowodzeń albo i klęsk na wszystkich frontach świata. Lecz w tych wydarzeniach Wielkiego Tygodnia w Warszawie i w tych, co nastąpią jeszcze aktach oporu, jest sens głębszy od ironii, sens polityczny i moralny. Na murach walczącego ghetta warszawskiego powiewał sztandar polski. Żydzi podjęli wrześniową tradycję stolicy — walki o honor — pod znakiem Rzplitej".

Na zakończenie głosów prasy podajemy wiersz nadesłany redakcji jednego z pism przez robotnika polskiego:

PŁONĄCE GETTO

Patrzę na ciebie żydowska dzielnico —
oczyma szeroko rozwartymi...
oczyma, w które już nieraz zaglądała trwoga.

I dziwić się nie przestaję
i zapytuję sam siebie: czy nie ma Boga?
Boga, co traktuje jednakowo każdego człowieka.

Patrzę na ciebie północna dzielnico
otoczona morzem płomieni;
strzelająca słupami ognia i dymu do góry.

Patrzę nocą na blask czerwonego nieba
i zasnute dymem chmury.
Słyszę wystrzały armatnie,
Słyszę terkoczące szybkostrzelne karabiny,
Pękające granaty;
o dziwo? bronić się umieją Izraela syny!

Patrzę i podziwiam was, Żydzi,
podziwiam wasze bohaterskie czyny,
że potrafiliście być ludźmi walki,
ludźmi walki w ostatniej godzinie.

       J.Z.T.

IZAAK CELNIKIER, *W pobliżu Berlina, luty 45...*, af. at., 1984

Przegląd działalności referatu spraw żydowskich[1]

I. Referat został obsadzony z dniem 1 II 1942 r. Jego zadanie w pierwszym okresie istnienia ograniczało się do służby informacyjnej. Służba ta opierała się na szeregu kontaktów prywatnych w getcie warszawskim. Wiadomości z innych ośrodków od osób przybywających z prowincji, z którymi referat miał możność rozmawiać nieomal codziennie, dzięki kontaktom prywatnym z obszaru Ukrainy Sowieckiej. Źródłem szczegółowych i pewnych wiadomości o losach Żydów prowincjonalnych było również getto warszawskie. Sieć własna dostarczała w tym okresie minimalną ilość (wiadomości) o Żydach, często bezkrytycznych. Charakterystyka kontaktów: ludzie spośród polskiej inteligencji pochodzenia żydowskiego, ulokowani w różnych instytucjach getta (gmina, szpitale) oraz bundowcy. Z żydowskimi ośrodkami nacjonalistycznymi miał referent w tym okresie jedynie kontakty pośrednie. Poza bieżącą służbą informacyjną, która obejmowała okres likwidacji getta warszawskiego (lipiec—wrzesień 42 r.) został opracowany zbiorowy referat o sytuacji Żydów na obszarze ziem polskich oraz „I-sza Czarna Księga". Ta ostatnia dotarła do Centrali[2] w pierwszych dniach grudnia 1942 r. i została tam natychmiast opublikowana z nieznacznymi zmianami i uzupełnieniami (egzemplarz tej publikacji został nam nadesłany).

II. Inicjatywa utworzenia Rady Pomocy Żydom wyszła w końcu sierpnia z naszej komórki i została przerzucona na ośrodki DR[3] i ugrupowania społeczno-polityczne. Na skutek tej inicjatywy został utworzony referat „Żegoty" w DR (początek jesieni 1942 r. — Jan)[4]. Pierwsze zapomogi z funduszów DR zostały wypłacone w grudniu 1942 r.

III. Pod koniec likwidacji getta warszawskiego został nawiązany pierwszy oficjalny kontakt pomiędzy gettem a wojskiem (koniec sierpnia 1942 r.). Przedstawiciel Bundu — Mikołaj — nawiązał kontakt z referentem i prosił o wysłanie depeszy do Członka R.N. w Centrali Zygelbojma. Depesza obrazująca w kilku słowach sytuację i żądająca pomocy finansowej została wysłana. W październiku nadeszło dla Mikołaja 5000 dolarów.

W październiku 42 za pośrednictwem naszych kierowników harcerstwa, dotarli do referenta przedstawiciele młodzieży żydowskiej z Hechaluc. Kontakt został nawiązany z Jurkiem, jako pełnomocnikiem ŻKN, który zjednoczył wszystkie ugrupowania polityczne społeczeństwa żydowskiego oprócz Bundu. ŻKN współdziałał z Bundem, który jednak do Komitetu nie wszedł, pragnąc zachować swoją odrębność polityczną. Organem koordynującym działalność ŻKN i Bundu stała się żydowska komisja koordynacyjna (ŻKK), która stanowiła polityczną reprezentację żydowskiej organizacji bojowej.

W pierwszej rozmowie Jurek stwierdził, że jest to ich druga próba nawiązania kontaktu z wojskiem polskim w kraju. Pierwsza — podjęta w sierpniu — w okresie intensywnej akcji likwidacyjnej getta warszawskiego w celu pomocy w zorganizowaniu zbrojnego oporu przeciwko akcji niemieckiej spotkała się z negatywnym stanowiskiem władz wojskowych[5]. Zarządzone przez KG — na skutek mojego meldunku — dochodzenia w tej kwestii stwierdziły prawdziwość twierdzenia Jurka, a zarazem prywatny charakter odmowy podjęcia trudu nawiązania kontaktu z czynnikami właściwymi.

Jurek prosił o nawiązanie kontaktu między przedstawicielem społeczeństwa żydowskiego a władzami wojskowymi i cywilnymi w kraju w celu podporządkowania i uzgodnienia działań oraz uzyskania pomocy wojska dla ŻOB-u. Kontakt ten został nawiązany na podstawie dwu równobrzmiących deklaracji ŻKK, podpisanych przez Jurka i Mikołaja, a skierowanych do Komendanta

---

[1] Dokument wraz z przypisami podajemy za: Bernard Mark *Powstanie w getcie warszawskim*, wyd. Jidisz Buch, W-wa 1963.

[2] Do Londynu.

[3] Delegatury Rządu w kraju.

[4] Witold Bieńkowski.

[5] To znaczy: kierownictwa AK, PPR i GL przesłały wtedy do getta pierwszą broń, która została przez żydowski ruch oporu wykorzystana podczas zamachu na szefa Służby Porządkowej, zdrajcę Szeryńskiego.

Głównego i do DR. KG Grot udzielił przedstawicielstwu żydowskiemu odpowiedzi na deklarację w rozkazie z dnia 11 XI 42 r. Deklaracja została przyjęta do wiadomości, wyrażona w niej gotowość walki — pochwalona, oraz zalecona została organizacja ŻOB piątkami bojowymi[6]. Odpowiedź DR na wspomnianą deklarację została udzielona ustnie. O przyjęciu jej do wiadomości zawiadomiłem Jurka i Mikołaja osobiście na podstawie udzielonego mi upoważnienia (na skutek mojej interwencji podjętej z rozkazu Tomasza[7] u Grabowieckiego[8] — koniec listopada 42 r.). W ten sposób rozpoczęły się oficjalne kontakty i współdziałanie pomiędzy KG wojska i DR a przedstawicielstwem społeczeństwa żydowskiego.

IV. Od chwili nawiązania wspomnianego kontaktu, referat obok służby informacyjnej, pełnił służbę w zakresie łączności i współdziałania z organizacjami żydowskimi.

W zakresie wojskowym postulaty żydowskie zmierzały do uzyskania broni i pomocy fachowej w przygotowaniu ostatecznej walki getta warszawskiego. ŻOB stała zdecydowanie na stanowisku, że los getta warszawskiego, jak i wszystkich innych skupisk żydowskich, jest przesądzony, że wcześniej czy później czeka je całkowita zagłada, wobec czego pragną zginąć z honorem, a więc z bronią w ręku. W grudniu z rozkazu KG, na usilne prośby, zostało wydane ŻOB 10 (dziesięć) pistoletów z niewielką ilością amunicji. Broń ta znajdowała się w b. złym stanie i tylko częściowo była użyteczna. ŻOB oceniała ten dar jako zaspokojenie znikomej cząstki potrzeb, domagała się pomocy bez porównania wydatniejszej, ofiarowując gotowość przeznaczenia poważnej części funduszów, awizowanych w Centrali, na zakup broni. Żądania te mogły być tylko w drobnej cząstce uwzględnione. ŻOB przed 17.I.43 r. (data likwidacji 50-tysięcznego wówczas getta warszawskiego) otrzymała dodatkowo 10 pistoletów, instrukcje z zakresu działań dywersyjnych, przepis na wytwarzanie butelek zapalających (szedyt?) oraz pouczenie z zakresu działań wojskowych. Okres do 17.I.43 r. cechowały gorączkowe przygotowania ŻOB do walki, nieustające i natarczywe wołanie o pomoc ze strony wojska, które do tych żądań odnosiło się z daleko idącą niewiarą i rezerwą. Rozpoczęta 17.I.43 r. likwidacja getta spotkała się ze zdecydowanym oporem zbrojnym, który niewątpliwie wywołał konsternację wśród niemieckich oprawców i doprowadził do zaniechania akcji po 4 dniach. ŻOB oceniła swój sukces jako odsunięcie na pewien czas momentu ostatecznej zagłady i z niezachwianą energią kontynuowała przygotowania do nowej walki, coraz natarczywiej domagając się pomocy od wojska. Z rozkazu KG odbyłem na ten temat 3 konferencje z komendantem Drapacza[9] p. Konarem[10]. Konar zgodził się na udzielenie gettu warszawskiemu pomocy materiałowej i instrukcyjnej oraz wspomniał o możliwości pomocy naszych oddziałów z zewnątrz. Przystąpiono natychmiast do pracy pod kierunkiem Chirurga[11]. Nawiązany został kontakt pomiędzy Jurkiem (ŻOB) a naszymi oficerami. Wydano ŻOB ok. 50 pistoletów, poważną ilość ładunków, ok. 80 kg materiału do wyrobu ,,butelek'' i pewną ilość granatów obronnych. W getcie uruchomiono wytwórnię butelek. Ponadto ułatwiony został zakup broni, który ŻOB prowadziła na własną rękę. Wspólnie opracowany został plan walki w getcie i przewidziana w nim pomoc naszych oddziałów. 6 marca 43 r. został aresztowany Jurek (w mieszkaniu na Wspólnej). Fakt ten zahamował będące w toku prace z zakresu współdziałania pomiędzy ŻOB a Drapaczem. W kilkanaście dni po aresztowaniu przeprowadziłem rozmowę z Konarem. Przedmiotem jej było określenie celu współdziałania naszych oddziałów z walczącym gettem. Celem tym miało być wyprowadzenie możliwie dużej ilości Żydów poza obręb Warszawy i rozlokowanie, które mogłem w każdej chwili asygnować. Projekt ten nie został zrealizowany. Żaden oddział nie wyruszył do wyznaczonego rejonu. ŻOB uznała za niemożliwe przedarcie się swoich ludzi na przestrzeni kilkuset kilometrów, a utworzony z rozkazu Edwarda ze Lnu[12] punkt zaopatrzeniowo-przerzutowy (ze Lnu do Hreczki[13]) — za pomoc niewystarczającą. Przyjmowanie Żydów do naszych oddziałów wojskowych na obszarze Drapacza i Cegielni[14] uznane zostało za niemożliwe, natomiast Konar wyraził zgodę na

---

[6] Ciekawe, że ŻOB nie zastosowała się do tego zalecenia i zorganizowała szóstki.
[7] Makowieckiego z BIP.
[8] Przedstawiciela Delegatury.
[9] Kryptonim Okręgu Warszawskiego AK.
[10] Komendantem OW AK Chruścielem (,,Monterem'').
[11] Szef sztabu OW AK Stanisław Weber.
[12] Kryptonim lubelskiego okręgu AK.
[13] Kryptonim wołyńskiego okręgu AK.
[14] Okręg podwarszawski.

tworzenie z Żydów biernych oddziałów powstańczych. Jeden taki oddział został w Warszawie utworzony. Wyznaczono naszego oficera do szkolenia tego oddziału. Przybył on na punkt szkoleniowy, wyznaczył spotkanie, lecz się na nie nie stawił. Na skutek wielokrotnych interwencji, wspomniany oficer przybył na punkt jeszcze jeden raz, lecz w stanie zupełnie nietrzeźwym. Dalsze interwencje nie odniosły skutku. Żydowski oddział powstańczy nie otrzymał wyszkolenia i przestał istnieć.

V. Współdziałanie wojska z organizacjami żydowskimi nie ograniczało się do Warszawy, lecz miało obejmować całe terytorium Polski. Wyrazem tej tendencji był rozkaz KG z lutego 43 r. o pomocy gettom zamkniętym pragnącym walczyć zbrojnie.[15]. W myśl tego rozkazu komendy wojskowe polskie winny były udzielać możliwej dla siebie pomocy — skupiskom żydowskim — podporządkowanym ŻOB i ŻZK. Wykonanie tego rozkazu, wielokrotnie powoływanego przez organizacje żydowskie i przez ludzi chcących pomóc Żydom do prowadzenia walki w getcie, napotykało na niechęć miejscowych czynników wojskowych. W gruncie rzeczy rozkaz ten został wykonany jedynie w odniesieniu do getta białostockiego, które (według informacji Chirurga) po skutecznej interwencji w KG otrzymało wydatną pomoc materiałową (samochód, broń itp.)[16].

W ramach rozkazu z lutego 43 r. nawiązano kontakt z żydowskimi placówkami pracy w Częstochowie oraz podjęto nieudane przygotowanie do obrony w Poniatowie i Trawnikach. Bardzo przykre i sprzeczne z duchem tego rozkazu były działania naszych oddziałów w stosunku do oddziału ŻOB w Częstochowie, ukrywającego się w rejonie Koniecpola i zabiegającego o poddanie go naszym rozkazom. Oddział ten został dwukrotnie zmasakrowany przez grupę Orła (prawdopodobnie NSZ) pomimo zawiadomienia miejscowej komendy, że oddziałowi temu należy udzielić ułatwień i pomocy.

VI. Oprócz przedstawionych powyżej zasadniczych kierunków współdziałania i pomocy wojsko wielokrotnie udzieliło ŻOB pomocy w zakresie łączności z zagranicą, nadając szereg depesz do przedstawicieli Żydów w Radzie Narodowej, oraz do organizacji żydowskich w Anglii, Ameryce i Palestynie. ŻOB korzystał również z naszej pomocy legalizacyjnej, otrzymując blankiety dokumentów, pieczęci i wskazówki do ich wystawienia. W zakresie bezpieczeństwa, poszczególni przedstawiciele (Antek, Borowski)[17] doznawali ochrony przez ściganie i egzekucje agentów niemieckich, tropiących członków ŻOB i zagrażających bezpieczeństwu tej organizacji (ściganie szantażystów do sądów DR).

VII. Referat obsługiwał Centralę w zakresie informacji i propagandy. Oprócz wspomnianej już I-szej „Czarnej Księgi'' zostały przesłane do Londynu m.in. dwa większe zbiory informacji i dokumentów dotyczących likwidacji Żydów w Warszawie i na całym obszarze Polski, które zostały opublikowane po angielsku jako II-ga „Czarna Księga''. Ponadto referat pełnił normalną obsługę informacyjną Naczelnego Wodza (NW — depesze periodyczne i specjalne) i baz krajowych.

---

[15]W archiwum ŻIH znaleźliśmy następujący uszkodzony dokument, który jest kopią owego rozkazu „Grota'':
Warszawa, 1943 — projekt rozkazu Komendanta Głównego AK o pomocy walczącym gettom
A 9) Wacław
Przesyłam projekt rozkazu uzgodnionego 8.66, który [nieczytelnie] Gł.
662/Mal.
Projekt rozkazu
Komendanci Okręgów
Udział Żydów w walce reguluję następująco:
1) Mój rozkaz z lutego 43 r. o udzieleniu pomocy Żydom w gettach pragnącym walczyć — pozostaje w mocy.
2) Zezwalam na utworzenie żydowskich oddziałów powstańczych spośród nastawionego patriotycznie elementu (Bundowcy, Sjoniści). Oddziałów takich nie używać do akcji dywersyjnej i partyzanckiej, lecz jedynie na wytrwanie do czasu powstania i przygotowania się do tego.
3) Potrzebne na ten cel pieniądze asygnuje Okręgowe dowództwo. Wydatkowanie pieniędzy na utrzymanie oddziałów i na -- może się odbywać pod kontrolą komisji, wyznaczonej przez --, do której Kdt Okręgu deleguje swego przedstawiciela -- dokonuje Centralna Komisja o analogicznym —.
4) Broń zakupiona dla oddziału żydowskiego, celem obrony skupisk zamkniętych, ma być zmagazynowana przez Kdt i wydana oddziałom w okresie pogotowia.   AŻIH, zespół dokumentów i materiałów ŻKN i KK.

[16] W dokumentach i materiałach z podziemia getta białostockiego nie ma żadnej informacji, która by potwierdziła tę wiadomość. Znajduje się tam natomiast list Mordechaja Tenenbauma—Tamarofa skierowany do kierownictwa Walki Cywilnej w Białymstoku, w którym autor oskarża je o sabotowanie instrukcji z Warszawy i o brak zrozumienia dla walki Żydów.

[17] Przedstawiciele ŻOB i ŻKN po „stronie aryjskiej'' A. Cukierman i dr A. Bergman.

VIII. Przez cały czas istnienia referatu (do 1.VIII.44 r.) stosunek do organizacji żydowskich cechowało rozumowe uznawanie potrzeby współpracy z Żydami ze względów politycznych oraz niechęć i nieufność do nich. Ta niechęć i nieufność były doskonale wyczuwane przez przedstawicieli Żydów, z którymi utrzymywałem kontakt służbowy. Powiadano mi niejednokrotnie o tym, że oficerowie Konara przy współpracy z Jurkiem, którego lubili i cenili, deklarowali wobec niego niepotrzebnie swoją niechęć i nieufność do Żydów, co ten odczuwał boleśnie. Np. przed bardzo efektownym, z punktu widzenia propagandowego, konwojem broni do getta, złożonym z naszych ludzi, a prowadzonym przez Jurka, oficerowie wykonujący rozkaz wypowiadali poglądy negatywne w stosunku do Żydów, choć transport przeprowadzili precyzyjnie i odważnie oraz zdali go za murami getta. Objawem tej niechęci było opuszczenie przez innego instruktora służby w warszawskim oddziale powstańczym ŻOB. Za taki objaw niechętnego stosunku do Żydów jest uważany fakt niepodjęcia żydowskiego oddziału w czasie powstania warszawskiego. Oddział ten przez 24 godziny oczekiwał bezskutecznie podjęcia go przez oficera AK, po czym dano Antkowi (komendantowi ŻOB) do zrozumienia, że włączenie go do oddziału AK jest niemożliwe (ta wiadomość pochodzi ze źródeł żydowskich i nie została przeze mnie skonfrontowana ze źródłami polskimi)[18].

IX. W obecnej chwili w zakresie spraw żydowskich na terenie wojska nasuwają się następujące uwagi: dokonana praca na omawianym odcinku ma poważny walor polityczny i będzie go mieć w okresie konferencji pokojowej. Z tego względu pracę tę należałoby podtrzymać. Po doświadczeniach z Powstania Żydzi nie objawiają inicjatywy w zakresie zgłaszania potrzeb współdziałania z AK w organizowaniu walki z Niemcami. Działa tu prawdopodobnie brak wiary w skuteczność podejmowanych w tym kierunku poczynań. O ile mi wiadomo w obecnej chwili, istnieje na ziemiach polskich okupowanych przez Niemców jedno skupisko żydowskie w Częstochowie (obóz)...[19] liczący ok. 10 tys. ludzi. Możliwości współpracy są za tym ograniczone. Byłoby jednak cennym dla ciągłości naszej pracy zaakcentować i zadokumentować nasze zainteresowanie losem obywateli Żydów w tym ostatnim okresie wojny, przez ożywienie kontaktu ze skupiskiem w Częstochowie. Zadanie to byłoby o tyle ułatwione, że kontakty z tym ośrodkiem z rozkazu KG były nawiązane na krótko przed wybuchem powstania (robiła to Rozmaryna z Rolnika)[20]. Zbadanie za pośrednictwem omawianego kontaktu, co się w tym skupisku dzieje, podtrzymanie i pomoc dla wysiłków organizacyjnych wewnątrz obozu, byłoby — być może ostatnim ważnym dokumentem świadczącym o naszych współdziałaniach ze społeczeństwem żydowskim na odcinku wojskowym.

Zakrzewski.[21]

AZHP, Materiały nieuporządkowane, 76/3

---

[18] Cukierman (,,Antek'') jako komendant ŻOB wydał 3 sierpnia 1944 odezwę do Żydów z apelem przystąpienia do powstania. Po odmowie przyjęcia oddziału ŻOB przez AK przyjęła go GL. Oddział ŻOB walczył w szeregach AL na Starówce.
[19] Chodzi chyba o obóz Hasag.
[20] Łączniczkami z ramienia ŻOB z obozem Hasag były ,,Władka'' (Fajga Peltel) i ,,Halina'' (Irena Waniewicz).
[21] Jeden z pseudonimów Henryka Wolińskiego.
Henryk Woliński (1901—1986), prawnik, w okresie przedwojennym członek Klubu Demokratycznego. Od lutego 1942 w AK jako kierownik Referatu Spraw Żydowskich w Komendzie Głównej. Nawiązał ścisłą współpracę z ŻOB, zaprzyjaźniony był z łącznikiem ŻOB ,,Jurkiem'' — Arie Wilnerem.

OD REDAKCJI: artykuły i materiały na temat getta warszawskiego pochodzące z okresu wojny i bezpośrednio po wojnie publikujemy zachowując w dużym stopniu używaną wówczas pisownię, terminy i skróty.

IZAAK CELNIKIER, *Zum Bade...*, af. at. 11.III.1986

Przesiedlenia

Przesiedlenia spoza Warszawy

Przyjazd do getta kolejką WKD

Tworzenie dzielnicy zamkniętej

Przed wzniesieniem muru: ...dozwolony tylko przejazd

PLAN GETTA WARSZAWSKIEGO

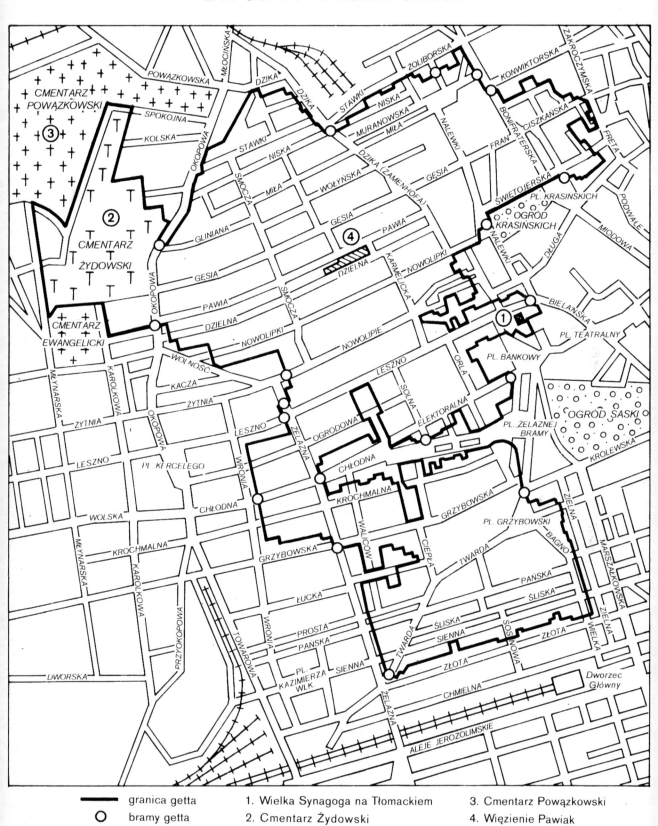

legend:

— granica getta
○ bramy getta

1. Wielka Synagoga na Tłomackiem
2. Cmentarz Żydowski
3. Cmentarz Powązkowski
4. Więzienie Pawiak

według planu zamieszczonego w „Nowym Kurierze Warszawskim" 15.X. 1940 r.

Wznoszenie murów

Wejście do getta

Życie w getcie

ŻYCIE NA ULICY

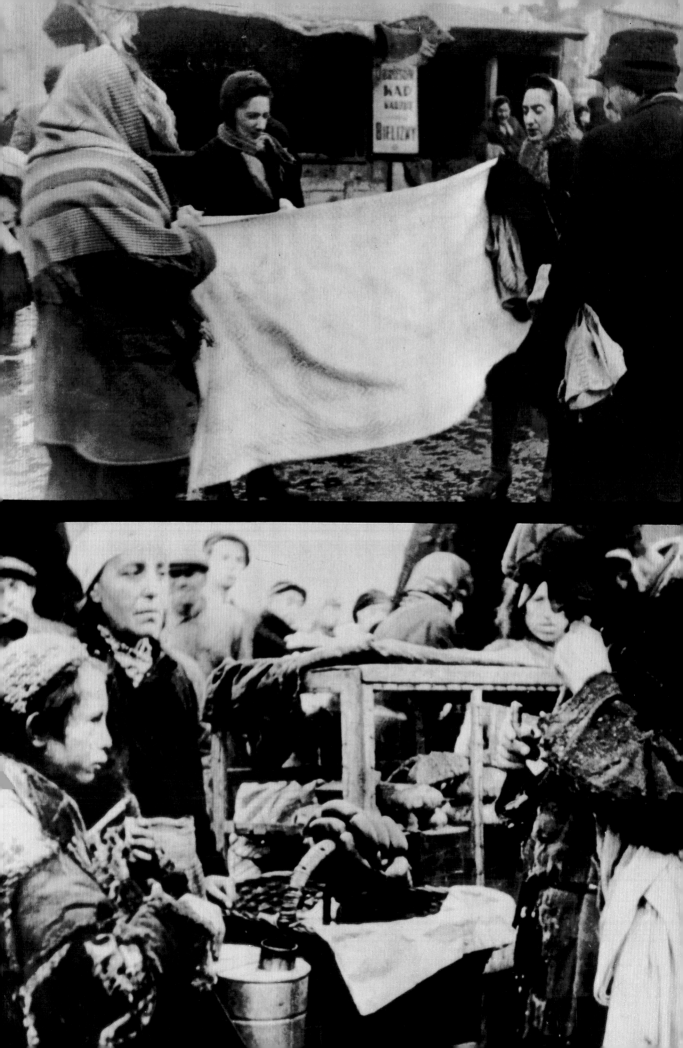

Służba porządkowa Judenratu (policja żydowska

Poczta — doręczanie paczek

PRACA PRZYMUSOWA

Tajne nauczanie

W gabinecie Adama Czerniakowa przez cały okres okupacji wisiał portret
Józefa Piłsudskiego

Wesele

PRZEMOC

Grabież

W areszcie na Gęsiej

Mali przemytnicy

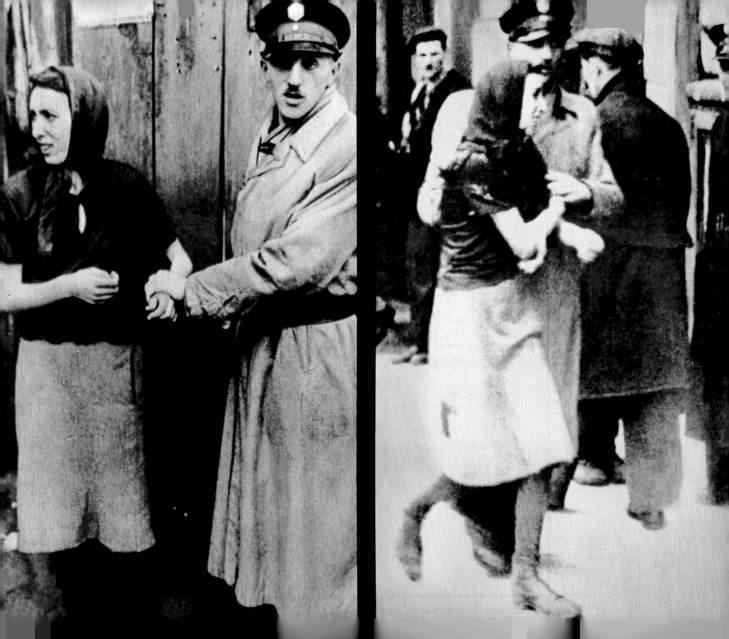

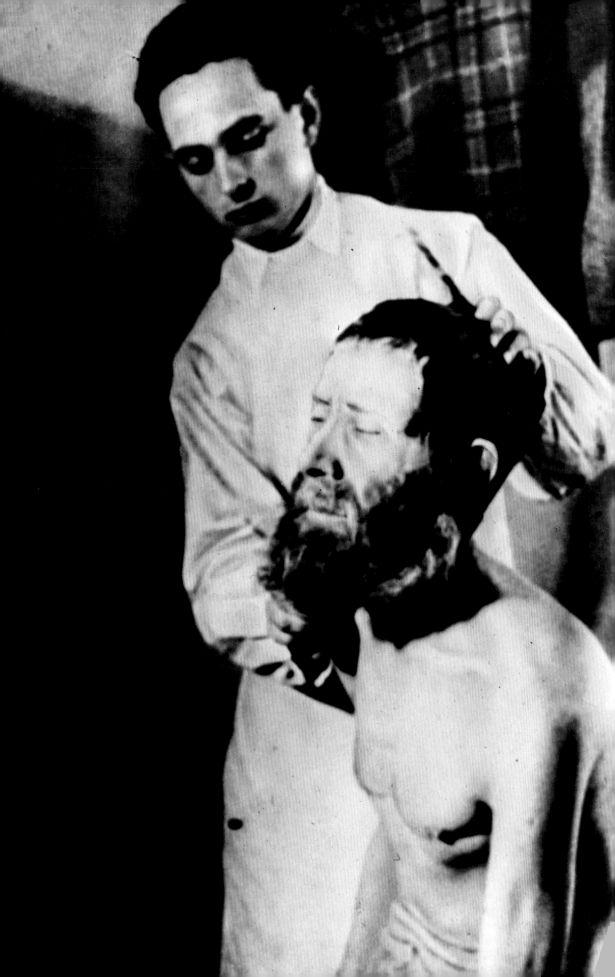

ECCE HOMO

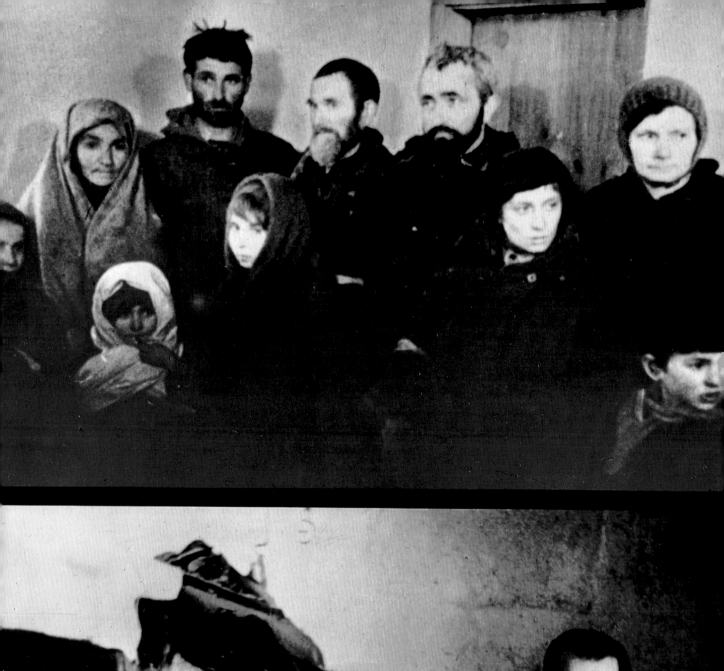
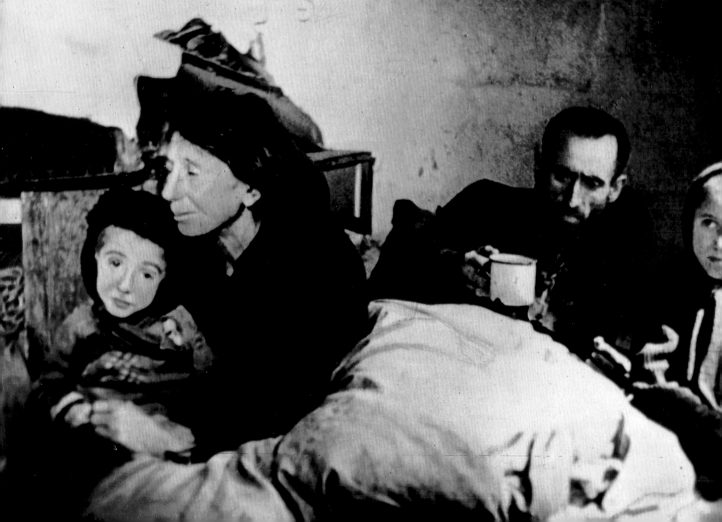

Dzieci

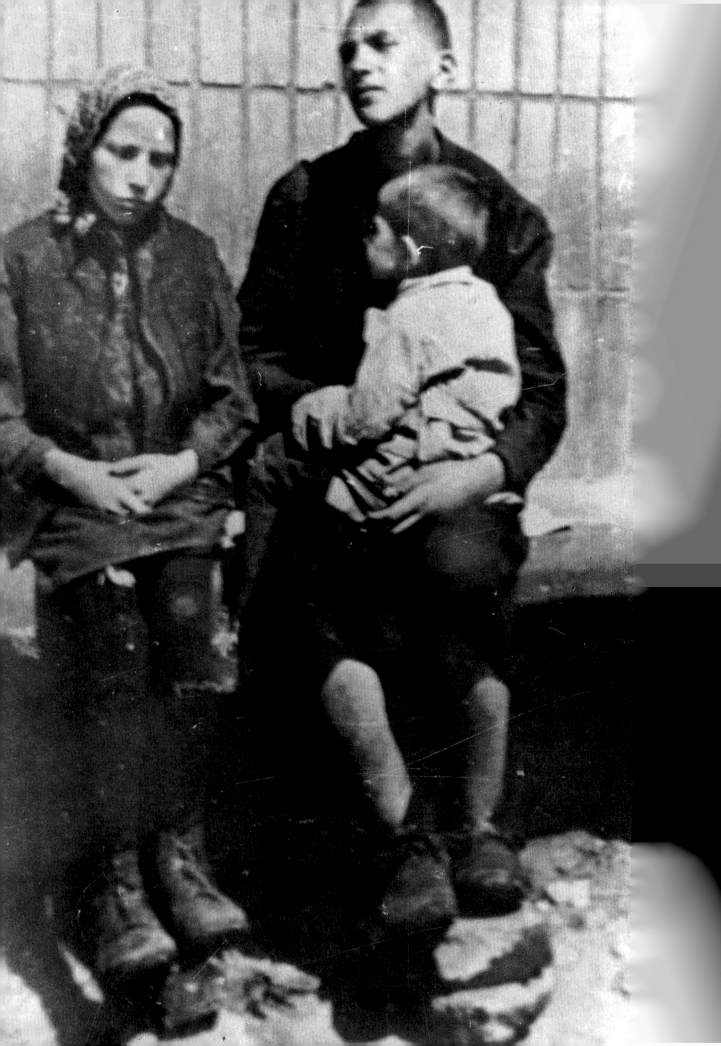

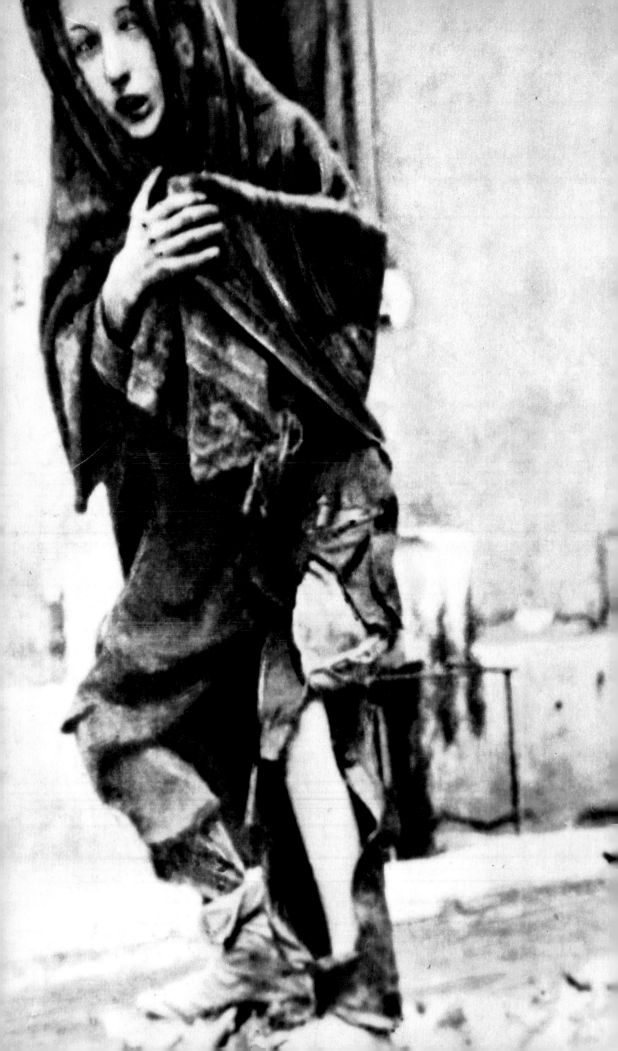

Dwoje dzieci — prawdopodobnie po ,,aryjskiej stronie'

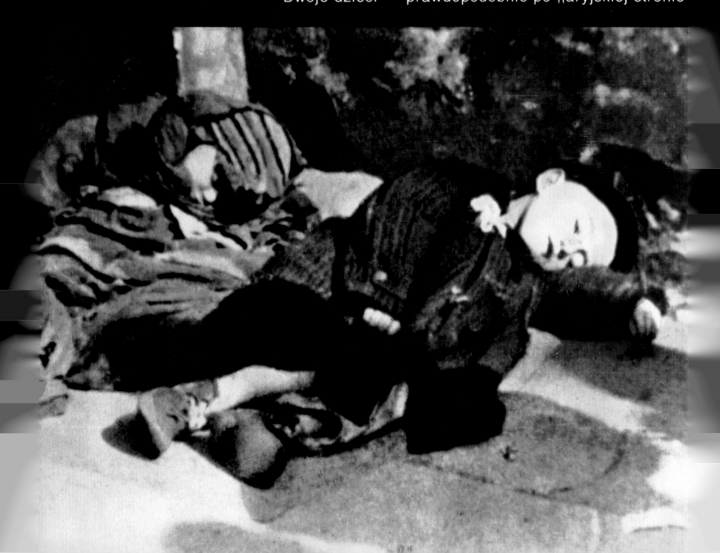

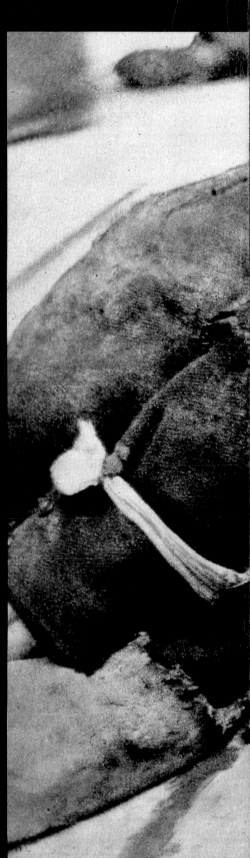

Śmierć w getcie

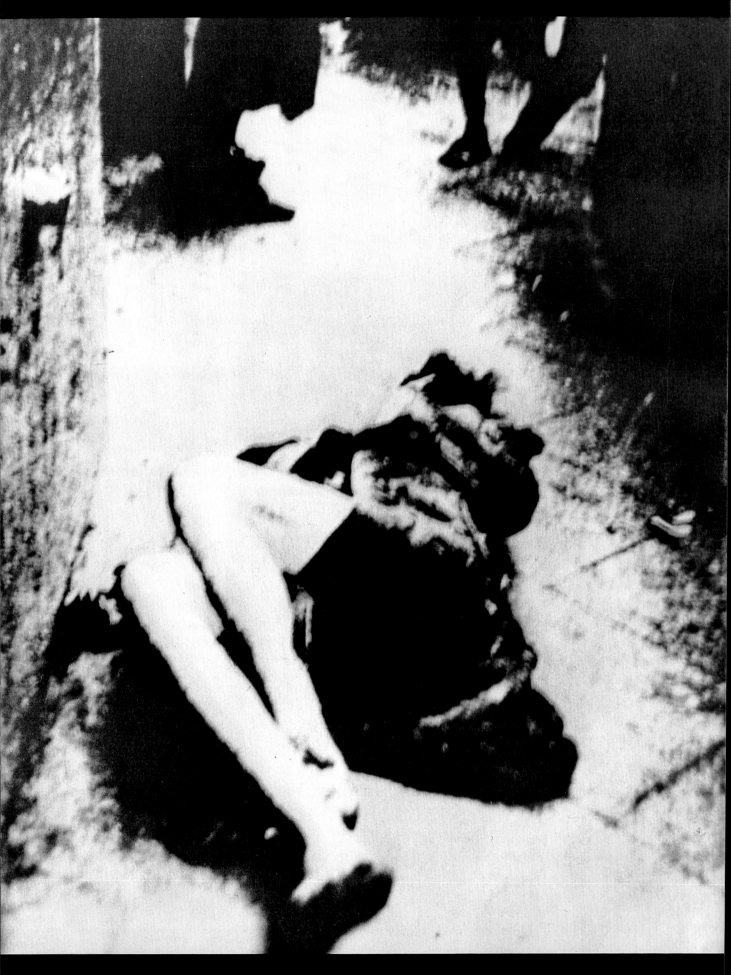

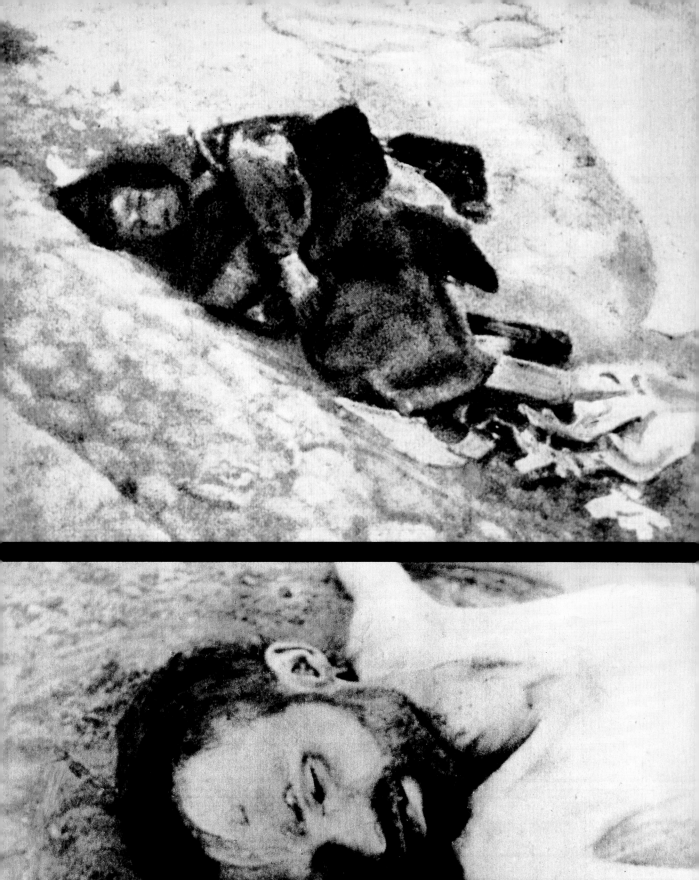

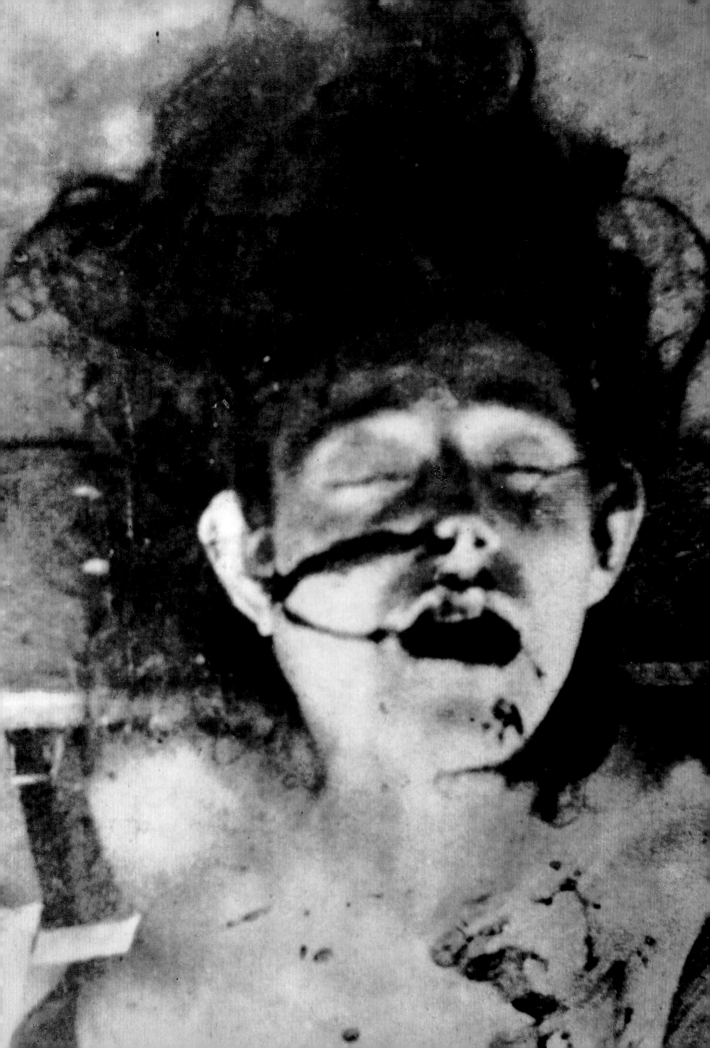

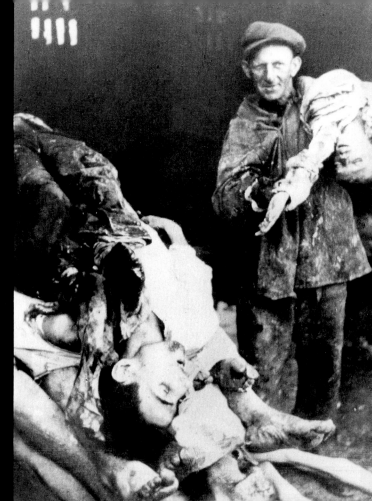

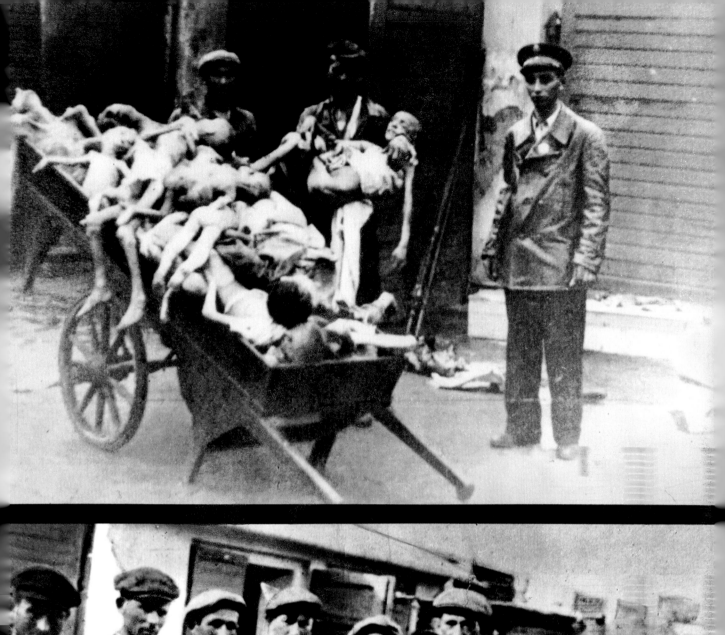

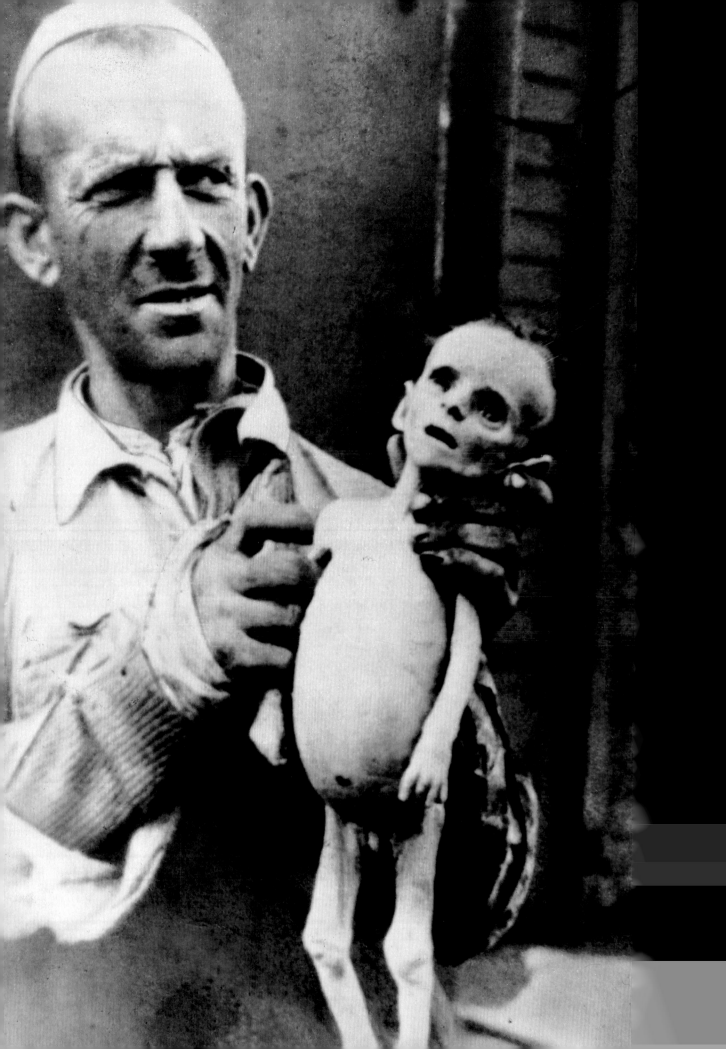

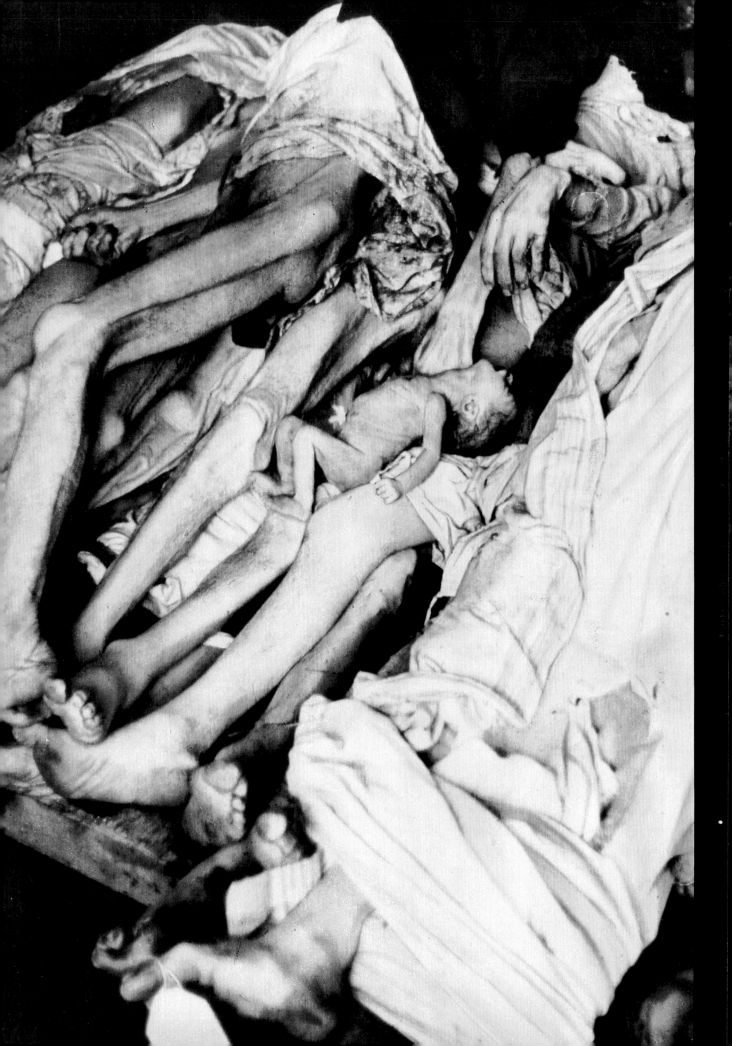

„Wysiedlenia"

Do wagonów

Po ,,akcji''

Powstanie

PLAN GETTA PODCZAS POWSTANIA
KWIECIEŃ – MAJ 1943 R.

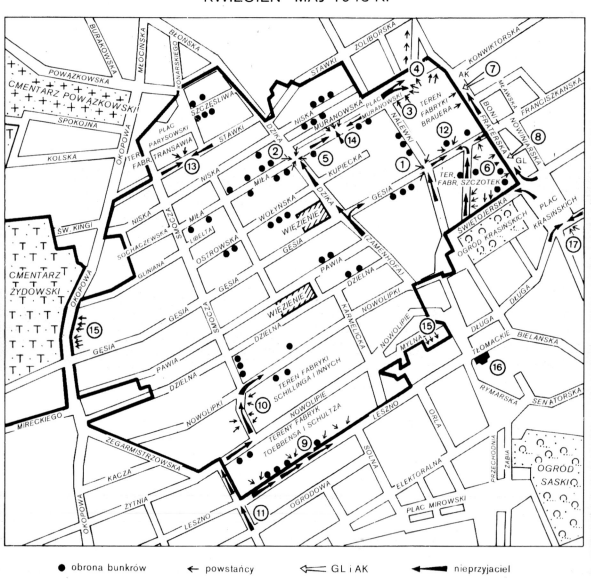

● obrona bunkrów   ← powstańcy   ⇐ GL i AK   ◄━ nieprzyjaciel

Według B. Mark „Walka i zagłada warszawskiego getta" Wyd. MON 1959

1. Pierwszy bój 19 kwietnia rano; 2. Drugi bój 19 kwietnia rano; 3. Trzeci bój 19 kwietnia; 4. Walki 19-21 kwietnia, sztandar biało-czerwony i biało-niebieski; 5. Walki 20 kwietnia – sztandar czerwony; 6. Walki 20 i 21 kwietnia; 7. Wystąpienie AK 19 kwietnia; 8. Wystąpienie GL 20 kwietnia; 9. Atak na kolumnę niemiecką 20 kwietnia rano; 10. Walki 20 kwietnia; 11. Wyprowadzenie przez GL grupy powstańców przez kanały 28 kwietnia; 12. Bój w obronie bunkra 1-3 maja; 13. Bój 2 maja; 14. Ostatnia walka sztabu powstania 8 maja na Miłej 18; 15. Przedarcie się grup powstańców z getta podczas nocnego nalotu radzieckiego; 16. Wysadzenie w powietrze wielkiej synagogi 16 maja; 17. Walka grupy powstańców, która wydarła się z getta w drugiej połowie maja.

BRONIĄ

OSTATNI „WYSIEDLENI"

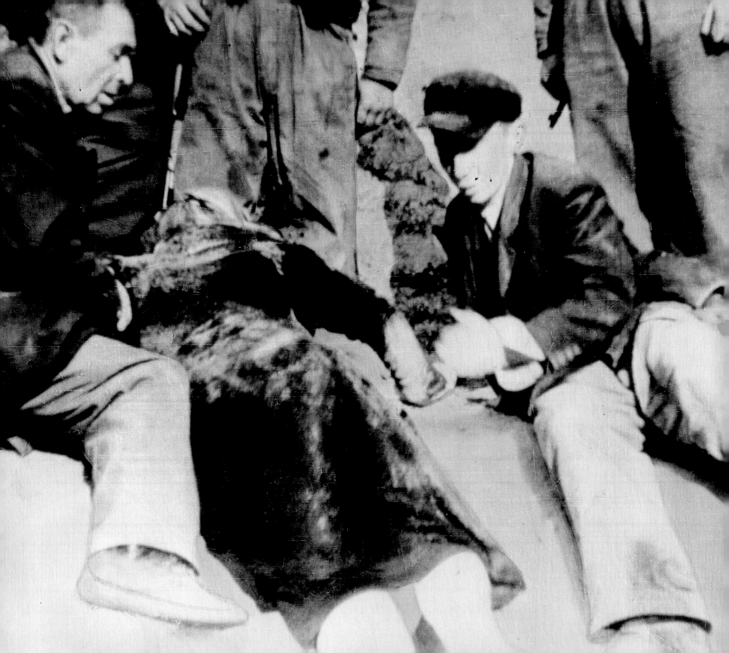

WIDZIANE
Z DRUGIEJ STRONY MURU

POWSTAŃCY

Ostatnie wyjście dla nielicznych

KONIEC

,,Zdjęcie przedstawia grupę pięciu osób, które doprowadzono na ostatni dziedziniec Rady Żydowskiej, na którym rozstrzeliwano. W głębi na prawo widać rozstrzelanych Żydów, których zwłoki pozostawiono celem spalenia. Zdjęcie ukazuje wyraz twarzy pięciu następnych ofiar na widok już rozstrzelanych.''
(z przesłuchania członka gestapo warszawskiego, Franza Konrada, zwanego królem getta, przez amerykańską policję wojskową w dniu 2 stycznia 1946 r.).

Spis treści

Ruta Sakowska: Warszawskie getto   8

Marek Edelman: Getto walczy   19

Relacja Jana Karskiego   41

Franz Blättler: Zapiski szofera
szwajcarskiej misji
lekarskiej (*fragmenty*)   51

Maria Kann: Na oczach świata   57

Henryk Woliński: Przegląd
działalności referatu spraw
żydowskich   77